Doris Fetscher
Hans Jürgen Heringer

Autobauer gegen Autoklauer

Nationalstereotype gegoogelt

Doris Fetscher
Hans Jürgen Heringer

AUTOBAUER GEGEN AUTOKLAUER

Nationalstereotype gegoogelt

ibidem-Verlag
Stuttgart

Bibliografische Information der Deutschen Nationalbibliothek
Die Deutsche Nationalbibliothek verzeichnet diese Publikation in der Deutschen Nationalbibliografie; detaillierte bibliografische Daten sind im Internet über http://dnb.d-nb.de abrufbar.

Bibliographic information published by the Deutsche Nationalbibliothek
Die Deutsche Nationalbibliothek lists this publication in the Deutsche Nationalbibliografie; detailed bibliographic data are available in the Internet at http://dnb.d-nb.de.

Coverabbildung: © farbeffekte - Fotolia.com

∞

Gedruckt auf alterungsbeständigem, säurefreien Papier
Printed on acid-free paper

ISBN-13: 978-3-8382-0293-8

© *ibidem*-Verlag
Stuttgart 2011

Printed in Germany

Inhalt

Vorwort und Warmup

Das Internet als Informationsquelle, das ist geläufig. Das Internet als Datenbasis einer interkulturellen Untersuchung dürfte so üblich noch nicht sein. Aber Schnelligkeit, Zugänglichkeit, Datenmenge und vor allem die Reichweite machen diese Feldforschung attraktiv und fruchtbar – so hoffen wir.

In dieser Untersuchung geht es um Nationalstereotype, um die wechselseitige stereotype Wahrnehmung der Deutschen und anderer Nationen oder Völker oder Leute. Schon mit der Benennung der Zielgruppe tut sich der Forscher schwer, der für stereotype Wahrnehmung sensibilisiert ist.

Mit Stereotypen bewegen wir uns im Umfeld von Vorurteil, Klischee und Stereotyp, Wörter, deren Gebrauch im Deutschen vielfältig überlappt, die oft im gleichen Zusammenhang verwendet werden. Wenn wir den Sprachgebrauch korpusbasiert befragen, lehrt er uns Folgendes:

Viele Vorurteile sind gängig und verbreitet und beruhen auf Gegenseitigkeit. Viele beruhen auf Ignoranz und Intoleranz. Es ist wichtig Vorurteile abzubauen, manch einer versucht sie zu widerlegen. Aber sie sind hartnäckig und zählebig. Die Leute pflegen sie, weil sie ihnen bequem sind. Darum sind sie eher unausrottbar.

Was tun wir mit Vorurteilen? Der Sprachgebrauch bezüglich der Vorurteile ist antithetisch geprägt. Gegenüber stehen:

bestärken	ankämpfen
bestätigen	ausrotten
hegen	ausräumen
kolportieren	entgegenwirken
nähren	entkräften
schüren	entlarven
verbreiten	korrigieren
zementieren	revidieren
	widerlegen
	zerstreuen
	zurechtrücken

Meist ist die Rede von antijüdischen, antisemitischen oder rassistischen Vorurteilen. Die Idee des Philosophen Gadamer, dass wir alle von Vorurteilen geleitet sind und dass ein Vorurteil nicht unbedingt schlecht ist, bleibt philosophisch, im allgemeinen Sprachgebrauch kommt sie nicht vor.

Klischees sind tradiert, auch schon mal angestaubt, oft abgedroschen, werden aber ständig bedient und bleiben darum auch hartnäckig. Sie prägen eher Bilder, richten sich nicht direkt gegen Andere: Das Klischee des Asiaten, des Schwulen, des Macho, der Blondine, des Heimchens. Positiv wird das nicht gesehen. Darum sollten sie auch entlarvt werden.

Stereotype spielen im allgemeinen Sprachgebrauch eine viel geringere Rolle. Dem Wort haftet eher die fremde Herkunft an, fremdsprachlich und fachsprachlich. Auch sie sind tradiert, jahrhundertealt und erstarrt, sind rassistisch. Richten sich gegen Juden, Neger und Zigeuner.

Allen gemeinsam ist, dass sie überwunden werden sollen. Wir wollen in der Gemengelage nicht voreilig differenzieren. Damit uns nichts entgeht, verwenden wir *Stereotyp* eher weit, ohne uns terminologisch festzulegen. Die Frage, was ein Stereotyp denn eigentlich sei, ist nicht sehr sinnvoll. Wir stellen sie noch einmal am Schluss, wenn wir die Vorgehensweise explizieren.

Auf jeden Fall sollten wir unterscheiden, ob über Stereotype gesprochen wird, ob Stereotype formuliert werden oder ob nach Stereotypen gehandelt wird. Zu allen dreien könnte man das Internet nutzen. Hier geht es aber in erster Linie um den mittleren Aspekt. **Der Stereotypendiskurs zeigt bestimmte wiederkehrende Eigenschaften**, die es herauszuarbeiten gilt. Auch die Frage, wie weit sie verbreitet sind, stellt sich hier.

Wenn Menschen Stereotype formulieren, dann kann es gehen ums Schwadronieren oder Stammtischeln, wo alle zustimmen, weil sich's sozial gehört. Es kann auch darum gehen, über die Stereotype zu reden, sie in Frage zu stellen oder auch zu bestätigen. Der Stereotypendiskurs kann sogar fruchtbar sein.

Natürlich können wir mit einem solchen Büchlein nicht die ganze Welt aufmischen. Nicht einmal die Googlewelt. Doch die vielen Beispiele und Länder exemplarisch können Ihnen schon einen Einblick und eine Sehweise vermitteln – hoffen wir.

Die Texte präsentieren wir unzensiert und weitgehend nicht normalisiert. Über Redeweise und Schreibweise können Sie sich als Leser Ihr Bild des Schreibers machen. Fremdsprachige Texte werden übersetzt und manchmal auch im Original gezeigt, um etwas exotisches Flair zu erhalten.

Mit Stereotypen wird öfter gespielt. Sei es in witzigen Bemerkungen, in Jokes oder in Witzen.

> Wenn eine Party pünktlich um 8 Uhr stattfindet, muss man dem Deutschen sagen, genau 8 Uhr; dem Spanier, 7. 40 Uhr; dem Argentinier, halb 7; aber zum Japaner muss man sagen, 5 nach 8, weil für Japaner richtig pünktlich 5 Minuten davor ist.

So etwas kann interkulturell lehrreich sein. Die Stereotype werden hier nicht ausformuliert, man kennt sie schon, muss aber drauf kommen, muss sie erschließen. So werden wir zum witzbereiten Mitwisser, weil nur der den Witz versteht, der das Stereotyp kennt. Für unsere Methode und unsere Darstellung ergeben sich zwei Fragen:

* Finden wir auch implizite Stereotype und wie?
* Wie gewinnen und formulieren wir das Stereotyp und welche Funde ordnen wir ihm zu?

Im folgenden Fund sind alle Stereotype zu erschließen. Wie würde man sie formulieren?

> Der Himmel ist dort, wo die Briten Polizisten, die Franzosen Chefs, die Deutschen Automechaniker, die Italiener Liebhaber sind und all das von den Schweizern organisiert wird.
>
> Die Hölle ist dort, wo die Briten Chefs, die Franzosen Automechaniker, die Deutschen Polizisten, die Schweizer Liebhaber sind und alles von Italienern organisiert wird.

Falls wir Rezipienten das Stereotyp geteilt hätten, könnten wir es auch konterkariert sehen. Darin könnte ein aufklärerischer Wert stecken. Dazu etwas interkulturelle Aufklärung.

Ein Europäer fragt einen Chinesen: Warum legt ihr eigentlich euren Toten Speisen aufs Grab; glaubt ihr wirklich, dass sie davon essen können?

Der Chinese antwortet mit einer Gegenfrage: Warum legt ihr eigentlich euren Toten Blumen aufs Grab; glaubt ihr wirklich, dass sie daran riechen können?

Der sich überlegen dünkende Europäer will archaisches, chinesisches Brauchtum aufdecken. Seine Frage impliziert: Seid ihr Chinesen wirklich so naiv? Die Antwort des Chinesen impliziert: Seid ihr Europäer wirklich so naiv, dass ihr nicht merkt, dass ihr die gleichen naiven, archaischen Rituale pflegt?

Was soll damit auf den Punkt gebracht werden? Vielleicht: Europäer fühlen sich immer überlegen. Das könnte die Absicht des Erfinders sein.

Aber argumentiert der Chinese eigentlich richtig? So ganz stimmig jedenfalls nicht. Denn der Blumenschmuck ist ja nicht für die Toten gedacht, sondern für die Lebenden. Als schlagfertiger wird auf jeden Fall der Chinese dargestellt. Er schlägt den Europäer mit seinen eigenen Mitteln. Das wird vor allem durch die parallele Satzstruktur deutlich gemacht. Sollte dahinter stecken: Chinesen sind rhetorische Schlitzohren?

Der Witz geht sicher zunächst zu Lasten des Europäers. Rituale in den verschiedenen Kulturen verzerrt er. Gleichzeitig wird aber auch entlarvt, dass hier nur wechselseitiges Halbwissen im Spiel ist. Für den europäischen Leser gibt es ein Überraschungsmoment. Vermutlich hat er noch nie darüber nachgedacht, wie man die Funktion des Blumenschmucks auf den Gräbern interpretieren könnte. Hier liegt das didaktische Potenzial für interkulturelles Lernen. Der Leser wird mit einer Fremdperspektive konfrontiert, die die Selbstverständlichkeit des eigenen Verhaltens relativiert.

Nun aber: War der Erfinder des Witzes Europäer oder Chinese? Die Antwort auf diese Frage wirft ein jeweils anderes Licht auf den Text – so wie im folgenden Fund.

Welche Sprache ist die schwierigste Sprache der Welt? Japanisch? Chinesisch? Ukrainisch! Die Hälfte der Ukrainer beherrschen ihre eigene Sprache bis jetzt noch nicht.

Selbstkritisch könnte man das verstehen, wenn ein ukrainischer Muttersprachler es geschrieben hätte, so einer wie manch deutscher Sprachkritiker, der den Splitter im Auge des Partners sieht. Es wäre ein Autostereotyp. Von einem russischen Muttersprachler wäre es böse, ein verächtliches Fremdstereotyp. Witze erklären ist bekanntlich fad. Genießen wir einfach noch ein paar.

Ein Krokodil trifft ein Küken.
Was bist du denn?, fragt es.
Rate mal, antwortet das Küken.
Das Krokodil schaut es an und sagt:
Hm, klein, gelb, flauschig – ein Küken.
Stimmt.
Rate mal, was ich bin, sagt dann das Krokodil.
Das Küken schaut es jetzt an und sagt: Hm, ledernes Trikot, kurze Beine, große Klappe – ein Italiener.

In Polen hat man nie Probleme, wenn man im Halteverbot steht: Bis die Politesse da ist, ist der Wagen garantiert weg.
http://www.handyhuhn.de/index.php?content=polen.php

Warum klauen die Russen immer gleich zwei Autos?
Weil sie durch Polen müssen.
http://www.handyhuhn.de/index.php?content=polen.php

Drei Beweise, dass
• Jesus ein Mexikaner war:
  1. Sein Name war Jesus.
  2. Er war bilingual.
  3. Er wurde ständig von den Behörden belästigt.
• Jesus ein Afroamerikaner war:
  1. Er hat alle Bruder genannt.
  2. Er liebte Gospel-Musik.
  3. Er konnte kein gerechtes Gerichtsverfahren bekommen.

0. Leseanleitung

In unserer Kultur leben wir ganz selbstverständlich. Wir kennen uns mehr oder weniger gut aus. Wie es bei uns zugeht, erscheint uns normal, ja natürlich. Es ist unsere zweite Natur. Wir wissen zwar punktuell, dass andere Kulturen andere Gepflogenheiten haben, das bleibt aber ganz punktuell. Mancherlei erkennen wir als strange und als Exotismen. Im Großen und Ganzen gelingt es uns aber nicht, das Fremde so zu sehen, so zu nehmen wie das Eigene. Wir sehen es immer von außen.

Wenn wir aber in Kommunikation treten mit Angehörigen fremder Kulturen (mögen uns diese Kulturen noch so nah sein), dann wirken die Grundeinstellungen, die eigenen und die fremden. Und weil sie für beide so selbstverständlich sind, so implizit, wirken sie eben oft unbemerkt. Die Missverständnisse, die daraus resultieren, bleiben darum auch unbemerkt oder sie führen zu Diskrepanzen – bemerkten und unbemerkten –, gar zum Dissens.

Wer mit Angehörigen fremder Kulturen kommuniziert, der sollte deshalb etwas darüber wissen, wie er selbst in den Augen der anderen dasteht, welche Vermutungen und Gewissheiten sie über ihn haben. Nur so kann man sich darauf einstellen; nicht dass man danach handeln sollte, aber beim Verstehen sollte man es einrechnen. Im Übrigen relativiert das Wissen hierüber den eigenen Standpunkt. Das soll nicht heißen, dass er zu wackeln beginnt. Nein, er wird hoffentlich fester, weil reflektierter und begründeter.

Wenn Sie also die Stereotype über die Deutschen lesen, fühlen Sie sich nicht provoziert! Es sind eben Vorurteile, und die gibt es anderswo wie bei uns. Aber diese Vorurteile können wirken. Die Frage ist nicht, ob sie stimmen oder nicht. Das Problem ist, dass Sie darauf gefasst sein müssen. Sie müssen sich darauf einstellen. Oft ist den Schreibern bewusst, dass es sich um Vorurteile handelt. Ja, sie sprechen oft gegen diese Vorurteile, wollen sie entlarven. Aber indem sie sie so generalisiert angehen, unterliegen sie vielleicht doch dem Vorurteil.

Darum: **Lassen Sie sich nicht provozieren! Halten Sie Distanz.**

Mit Kommentaren halten wir uns zurück. Anfangs geben wir vor allem Hinweise auf die stereotypischen Strukturen, versuchen durch Hinweise auf kleine Auffälligkeiten, Sie unserer Leseweise näher zu bringen. Dabei pflegen wir einen Fragestil, der zur Deutung anregen soll, aber nicht mehr vorgeben. Später wagen wir auch eher inhaltliche Bemerkungen, mischen uns ein in den Stereodiskurs, werden sozusagen Teilnehmer, aber immer unter der Kautele, dass wir alle nicht wissen, wie es wirklich ist. Und wenn wir das glauben, verfallen wir nur in andere Stereotype. Unsere Lesehinweise werden im Verlauf weniger, die Kapitel kürzer, weil wir annehmen, dass Sie das Entscheidende selbst sehen. Zum Schluss geben wir kleine offene Sammlungen, falls Sie vielleicht selber etwas recherchieren wollen. Vor allem skizzieren wir ein methodisches Vorgehen für Sie, falls Sie vielleicht selber etwas recherchieren wollen oder am besten gleich ein kleines Projekt durchführen wollen.

Beim Lesen ist es immer gewinnbringend, sich an den folgenden Fragen zu orientieren:

Wer – sagt was – in welchem Zusammenhang – zu wem – mit welcher Absicht und – mit welchem Effekt?

Wenn Sie das bedenken, können Sie die Stereotype aus der Distanz betrachten.

Im Einzelnen lohnt sich auf Folgendes zu achten:

- Wie wird generalisiert? Wird die Generalisierung gemildert (gehedgt)? Oder wird eher übertrieben?
- Werden mehrere Eigenschaften zugeschrieben? Gibt es eine Steigerung (Klimax)?
- Sind die Zuschreibungen positiv oder negativ gedacht? Woran erkennen Sie das? Oder kann man das nicht entscheiden?
- Wie sehen Sie selbst die Zuschreibungen? Positiv oder negativ?
- Gibt es ein Überraschungsmoment?
- Gibt es etwas zu enträtseln, eine Pointe?
- Wird das Stereotyp kommentiert? Verhandelt?
- Finden Sie das Stereotyp explizit? Oder müssen Sie es erschließen?
- Wie genau ist das Stereotyp formuliert? Wie genau könnte man es formulieren?

1. Autobauer gegen Autoklauer

1.1 Polen über Deutsche

Deutsche sind die besten Autobauer.

Wir beginnen mit dem häufigsten: Wie sie aussehen und was sie leisten:

> Ein Blonder, mit großem Bauch, der Bier trinkt und Haxe isst – das ist der typische Deutsche. Außerdem verbinden die Polen die westlichen Nachbarn mit guten Autos.
> http://www.rmf. fm/fakty/?id=60755

> Niemals verbindet man Rechtschaffenheit mit Deutschland!
> Ich verbinde damit, dass die Deutschen DIE BESTEN Autos bauen ...
> http://wiadomosci.wp.pl/OID,12772956,kat,1342,wid,8467429, opinie.html?redir_url=

Der Schreiber des ersten Fundes bleibt auf Distanz. Was er selbst glaubt, erfahren wir eher nicht. Oder doch? Wir glauben, dass er glaubt, was die Polen glauben.

> Die Deutschen schätzen eigene Produkte. Von daher wird der brave deutsche Bürger nicht einen Peugeot kaufen, sondern einen BMW, VW oder AUDI.
> http://dreakmore. tigana.pl/wagabundo/lza03.html

Sollte gemeint sein, dass all die anderen, die etwa Renault oder Peugeot kaufen oder ein japanisches Auto, nicht als brav gelten? Wie ist das *brav* zu verstehen? Brav in den Augen der Deutschen oder des Schreibers?

> Sei es, wie es sei, aber die Deutschen machen die besten Autos der Welt.
> http://tiny.pl/tq8c

Würde der Schreiber also was andres erwarten? Auf jeden Fall zeigt er sonst Reserven gegenüber den Deutschen.

Der folgende Fund zeigt eine häufige Struktur: die magische Dreizahl der Eigenschaften. Sie wird aber nicht – wie üblich – als Steigerung verwendet, sondern konterkariert die schlechten Eigenschaften. Wir sehen die ironische Distanz, mit der der Schreiber auf Stereotype aufmerksam macht.

> Die Deutschen sind bekannt als Massenmörder ohne Skrupel, Kinderräuber und Produzenten von wunderbaren Autos. Das sind geläufige Stereotypen, die nicht ganz wahr sind.
> http://interwencja. interia.pl/ekstra/news?inf=756135

Stereotype zu hedgen ist ganz üblich, hier etwa durch das relativierende „nicht ganz". Aber macht sie das nicht noch widerstandsfähiger? Wie leicht könnte man ihnen sonst zu Leibe rücken?

Deutsche sind Nazis.

> Vielleicht ist es so mit den Deutschen und Nazis: Nicht jeder Deutsche ist ein Nazi und umgekehrt.
> http://biegajznami.pl/forum/viewtopic.php?p=292438&sid=be0491c5e6
> e3d0776147a123754264df

> Der Deutsche ist nicht gleich ein Anhänger Hitlers. Aber das kann nicht jeder verstehen.
> Und ich weiß, dass die Deutschen ein sehr nettes Volk sind – und ein höfliches – aber nicht so gastfreundlich wie die Polen.
> http://www.victor.com.pl/forum/viewtopic.php?t=6919

> „Die Ausstellung" [zum Zentrum gegen Vertreibung,] zeigt es ganz genau, dass sie noch nicht klar kommen mit der Eroberung der Gebiete, die sie wieder gern besetzen würden und ihren „Lebensraum" erweitern. „Die Ausstellung" zeigt wieder, dass der „Verband der Heimatvertriebenen" ein

Verein der ehemaligen Nazis war! (Die Mehrheit der Mitglieder waren
Amtsträger aus der Zeit Hitler-Deutschlands!) Frau E. Steinbach ist die
Tochter eines deutschen Kriegsverbrechers, der nach dem Krieg von den
Russen vor Gericht gestellt wurde!
http://www.niemiecki.ang.pl/Jak_Niemcy_odbieraja_Polakow_
10622.html

Die Deutschen halten sich für Übermenschen.
Mit dem einen Nachbarn kann man Wodka trinken, mit dem anderen rat-
schen, zu dem Dritten Guten Tag sagen, aber es gibt auch solche, denen
man ohne Stock nicht näher kommen sollte, das sind die Deutschen.
Deutschland, Deutschland über alles!
http://wiadomosci.onet.pl/1,15,11,24149083,67105713,2571197,0,forum.
html

Dass Stereotypen generalisieren, ist bekannt. Hier sehen Sie, dass auch inkon-
sistentes Generalisieren kein Problem für Stereotypisierer ist.

Warum kommen die Deutschen mit dem Hochwasser nicht zu recht? Weil
es sich nicht erschießen lässt.
http://forum.pclab.pl/index.php?showtopic=175358&pid=2518936&st=0

Mit den Deutschen gibt es immer genau ein Problem. Der durchschnitt-
lichste Staatsbürger verwandelt sich, sobald er in den Krieg zieht, in eine
brutale und blutrünstige Bestie.
Die Deutschen haben die Tendenz, Grausamkeit und Gewalt anzuwenden,
und das mehr als andere europäische Völker. Ich bin einig mit denen, die
die Deutschen „Volk der Mörder" nennen.
http://www.obliczahistorii.pl/forum/viewtopic.php?t=470&sid=f9522cf1
74 fdab387e448ad80de7b83a

Deutsche haben uns mit Krieg überzogen.

Ein ganz heikles Thema ist die geteilte Kriegserfahrung. Da kann die Stärke der Inkriminierung besonders groß werden – hier sogar ein Appell zur Aufrechterhaltung des Stereotyps.

> Sind die Deutschen Menschen?
> Sie sind Menschen! Aber was für Menschen waren sie vor Jahrzehnten?! Gnadenlos und ohne Herz! Sie waren in der Lage, einem anderen Menschen in die Augen zu schauen und ihm gleichzeitig Unrecht zu tun.
> Natürlich ja. Aber man kann sie nicht beschuldigen für Verbrechen, die ihre Landsleute begangen haben. Und außerdem waren nicht alle Deutschen Verbrecher.
> http://www.reporter. edu.pl/forum_dyskusyjne/europa_wedlug_ auschwitz/czy_niemcy_to_ludzie

So kann man sich als Aufgeklärter um Differenzierung bemühen: Es gibt solche und solche. Aber gibt es die wirklich? Ist Relativierung nicht die gewöhnliche Art, sich aus der Verantwortung für ein Stereotyp zu ziehen? **Je stärker die Inkriminierung, umso wichtiger die Relativierung** und umso interessanter auch die Verfahren des Relativierens. Oft sind solche Stereotype dialogisch aufgebaut.

Wir und die anderen, so lautet die mentale Grundstruktur für Nationalstereotypen. Wer ist hier mit *unserer* gemeint? Beide Parteien oder nur die Polen?

> Szwab [abwertende Bezeichnung für einen Deutschen] bleibt Szwab. Und wird nie ein Bruder des Polen ... Das kommt aus unserer Genetik, Mentalität, Geschichte, unserem Verhalten.
> Die Deutschen sind unverschämt. Für das, was sie getan haben, sollten sie bis in alle Ewigkeit Buße tun. Sie haben es sich immer so eingerichtet, dass es ihnen gut geht.
> http://fakty.interia.pl/fakty_dnia/news/Niemcy_Rz%B1d_odda%B3_h% B3d_ofiarom_napa%B6ci_na_Polsk%EA/komentarze,787303,,8164946

An dieser abwertenden Festschreibung gibt es nichts zu rütteln. Sie wird rassistisch über die Referenz auf die genetischen Unterschiede belegt. Der Deutsche kann gar nicht anders als unverschämt sein. Zu diesem Beispiel liegt uns eine echte dialogische Erwiderung vor. Der Relativierer setzt seinen Hebel völlig richtig bei der Irrationalität des Arguments an. Auf jeden Fall bringt ein solcher Diskurs mehr als Stillschweigen.

> Du bist voller Hass. Sie leben besser, weil sie bessere Ökonomen haben.
> http://fakty.interia.pl/fakty_dnia/news/Niemcy_Rz%B1d_odda%B3_ho
> %B3d_ofiarom_napa%B6ci_na_Polsk%EA/komentarze,787303,,8164946

> Nicht alle Deutschen waren Faschisten, aber bis heute müssen sie sich das anhören. Eine Generation, die mit dem Krieg nichts zu tun hat.
> http://www.niemiecki.ang.pl/Jak_Niemcy_odbieraja_Polakow_10622

Stereotypendefinitionen weisen immer wieder darauf hin, dass in Stereotypen über Gebühr generalisiert werde. Das wissen Stereotypenträger offenbar auch. Ganz üblich ist der Selbstschutz des Stereotypisierers mit „nicht alle". Aber wenn nicht alle, dann doch viele – die meisten?
Erfreulich am Stereotypendiskurs ist immer wieder das (ironische) Konterkarieren. Aber teilt nicht manchmal der Mahner das Stereotyp? Reagieren kann er nur, wenn es formuliert wurde.

> Eine Billion Dollar sind die Deutschen den Polen für den II. Weltkrieg schuldig?
> Hey, montiert die Bajonette ab! Hört endlich mit dieser antideutschen Paranoia auf.
> http://www.slupsk.eco.pl/forum/viewtopic.php?t=637&sid=68fd33e6685
> 09079a5f1c9d4ed09d7a6

Hier wird das Stereotyp mit bildhafter Kriegsmetaphorik und in Form eines Aufrufs relativiert. Das ist nicht nur bildhaft gesprochen stark, sondern besagt

„mit Stereotypen argumentiert man nicht!", während es die vorhergehende Erwiderung noch mit Argumenten versuchte.

Das nächste Beispiel ist ungleich komplexer, weil alles nur indirekt formuliert wird.

Wer nach Stereotypen sucht, kann so ziemlich alles finden, auch etwas, was er selber teilt. Es bleiben immer Stereotype.

> Im heutigen Polen kann man das Gefühl bekommen, dass sich der Staub des Krieges immer noch nicht gelegt hat, als ob die Besetzung nicht vor über 60 Jahren zu Ende gegangen wäre. Und in dieser Zeit sind mindestens zwei Generationen aufgewachsen, die diese Kriegserfahrungen nicht gemacht haben.
>
> Als Lech Kaczyński Oberbürgermeister von Warschau war, hat er den Deutschen die Rechnung für die Kriegszerstörung der Hauptstadt präsentiert. Später hat er den „Großvater aus der Wehrmacht" benutzt, um seinen Gegner im Präsidentschaftswahlkampf zu diskreditieren.
>
> http://przekroj.pl/index.php?option=com_content&task=view&id=2061&Itemid=48

Zuerst wird aus sicherer Distanz ein Autostereotyp in bildhafter Kriegsmetaphorik formuliert. „Die Polen halten immer noch an den alten Stereotypen fest". Dann wird aber das komplementäre Heterostereotyp relativiert: „Es gibt zwei Generationen von Deutschen, die nichts mit dem Krieg zu tun haben". Das Autostereotyp wird belegt durch die Äußerungen von Lech Kaczyński und damit kommt wieder das Heterostereotyp zum Vorschein. Die Instrumentalisierung der Stereotypen durch Lech Kaczyński zu politischen Zwecken wird in einem Metadiskurs aufgedeckt.

Wie würde der Text wirken, wenn der Verfasser ein Deutscher wäre?

Eine wichtige Relativierung ist die Berufung auf eigene Erfahrungen, die man mit den Inkriminierten gemacht hat. Aber diese können das Stereotyp auch bestätigen, wie im nächsten Beispiel.

Und du hasst die Deutschen und überträgst diesen Hass auf ihre Kinder und Enkelkinder. Ich habe mit deutschen Jugendlichen geredet, auch über dieses Thema, und ich sage dir, sie haben ähnliche Ansichten wie wir. Sie mögen auch das alte Deutschland nicht, weil es ihnen den Ruf kaputt gemacht hat. Und sie klagen sehr über die Stereotype.
Ist das ihre Schuld, dass sie in Deutschland geboren wurden? Man darf niemanden dafür verurteilen, dass einer seiner Vorfahren mit den anderen Deutschen Polen angegriffen hat!
http://www.victor.com.pl/forum/viewtopic.php?t=6919

Der Schreiber verhandelt eine häufige Stereotypenstruktur. Eine Folge der Generalisierung ist, dass nicht nur alle Lebenden in einen Topf geworfen werden, sondern alle, die man eben so kategorisiert: Alle Deutschen, tote wie lebende. Einmal Massenmörder, immer Massenmörder.

Ich lebe hier in Deutschland seit 20 Jahren und weiß, dass die Deutschen gegenüber den Polen nicht freundlich eingestellt sind – aber sie sind gegenüber niemandem freundlich eingestellt.

Immer der ewige Feind
Solange die Welt besteht, wird der Deutsche nie der Bruder des Polen.
Nähere dich dem Deutschen nicht, er wird dich erschießen!
Jeder Deutsche ist ein Hans in einer schwarzen Uniform und er schießt.
http://wydarzenia.wp.pl/kat,33326,wid,8246307,wiadomosc.html?POLL%5Brid%5D=8253263&T%5Bpage%5D=4&ticaid=12953

Auch das Bewusstsein, dass Generalisierung gefährlich sein mag, und vorgreifendes oder nachgeschobenes Relativieren der stereotypen Äußerung schützen vor Generalisierung nicht. **Darum ist die hygienische Warnung vor Generalisierung kein allzu taugliches Mittel.** Das folgende Beispiel bringt diese Paradoxie auf den Punkt.

Ich mag keine Verallgemeinerungen, aber im Allgemeinen mag ich dieses Volk nicht. Vor allem wegen des II. Weltkrieges und dafür, wie man die Polen im Westen behandelt. Wenn mich jemand nicht mag, dann mag ich ihn auch nicht und nichts weiter.
http://ekipa.tlen.pl/forum/lofiversion/index.php/t2193.html

Da wird auch eine Begründung gegeben, die als Argumentation in Schuldfragen gang und gäbe ist. Es ist das TIT-for-TAT-Prinzip: Wie du mir, so ich dir. Auf jeden Fall scheint eine solche Begründung vielen plausibel, auch wenn, wie hier, gar keine eigenen Erfahrungen gemacht wurden.
Im nächsten Beispiel dagegen gibt es eine konkrete persönliche Erfahrung.

Ich bin auch tolerant und ich toleriere die Deutschen, aber das heißt nicht, dass ich sie mögen muss. Ich mag diese Schwabusy [abwertend für Deutsche] wegen des II. Weltkriegs nicht. Ich mag nur einen … Steffen Möller, der ist ein prima Kerl.
http://ekipa.tlen.pl/forum/lofiversion/index.php/t2193.html

Aber ist Steffen Möller überhaupt ein Deutscher – oder einfach nur Steffen Möller? Kann ein prima Kerl gegen die übermächtige Verallgemeinerung an? Warum wird ein Stereotyp nicht durch einen einzigen angekränkelt?
Argumentiert wird auch mit positiven Erfahrungen aus der Zeit des Krieges. Aber wer hat diese Erfahrung gemacht? Und könnte man an den genannten Orten noch nachfragen?

Während des Kriegs gab es viele rechtschaffene Deutsche. Es reicht, nur in Gdynia zu fragen, in Warschau oder in vielen anderen Städten oder in den Wäldern – oder in den Konzentrationslagern.
http://wiadomosci.wp.pl/OID,12772956,kat,1342,wid,8467629,opinie.
html?redir_url=

Ganz assoziativ wie oben geht es in Stereotypen oft her. (Man wird ja kaum in den Konzentrationslagern nachfragen können.)

Stereotypisierer setzen sich gegen relativierende Argumente vorgreiflich zur Wehr. **So sind die Relativierungen bereits in den Köpfen und vielleicht schon verfestigter Bestandteil des Stereotyps?** Und so könnte man in solchen Fällen tatsächlich – gegen die offizielle Lehre – von einer immunisierenden Relativierung sprechen.

Nicht alle Deutschen sind Verbrecher.
http://tygodnik.onet.pl/4,104,8,1153285,5,7238003,forum.html

Ein erster, aber hundsgewöhnlicher Schritt zur Selbstaufklärung? Man kann sich aber nicht darauf verlassen, dass Relativierung das Stereotyp wirklich ankratzt. Man kann sie auch hier als Teil der Immunisierung sehen.
Im Diskurs finden wir Beispiele und Gegenbeispiele.

JEDER DEUTSCHE IST UNSER FEIND, BRÜDER.
http://ms2006.interia.pl/news?sid=7161162&cid=7159795&cinf=754096

Eigentlich ist jeder Deutsche immer noch ein Anhänger Hitlers.
Man muss geschichtsbewusst sein. Sie haben uns (zusammen mit den Sowjets) angegriffen, haben unser Land zerstört, dank ihnen haben wir 45 Jahre lang Kommunismus gehabt. Sie sollten jetzt also besser die Klappe halten.
Sie sollen besser die Gelegenheit nutzen, um ihre Schuld abzutragen und zu büßen. Und davon zu sprechen, dass die Deutschen auch gelitten haben, scheint sehr geschmacklos.
http://forum.gazeta.pl/forum/72,2.html?f=902&w=48167619&=4822112

Und dann gibt es auch die Relativierer, die erkennen, dass sie einem Stereotyp aufsitzen, auch eine Idee über die Quelle der Infizierung haben und sich trotz Metadiskurs im Stereotalk weiter im Stereotyp verstricken.

Gestern zum 63. Jahrestag des Kriegsbeginns hat mich die TVP [das öffentliche polnische Fernsehen] nett überrascht. Normalerweise führte man am 1. September nach den Hauptnachrichten einen der zahlreichen Filme vom Kriegsbeginn vor.

http://www.browar.biz/forum/showthread.php?t=11803

Ich stimme zu. Durch ein Übermaß an „Die vier Panzergrenadiere" [polnische Kultserie] und anderen Dokumentarfilmen oder fiktionalen Kriegsfilmen bin ich verseucht mit so einer unterschwelligen Abneigung gegen die Deutschen und ihre Sprache. Das ist irrational, denn immer, wenn ich einen Deutschen getroffen habe, war er freundlich und im Allgemeinen in Ordnung. Ich sage nicht, dass jeder Deutsche ein super Kerl ist, aber doch auch nicht wie Bismarck, Hitler oder ein anderer SS-Mann.

http://www.browar.biz/forum/showthread.php?t=11803

Stereotype brauchen Anker. Feste Anker sind Filme. Deren Stereotypentransport haftet fest. Und dann bleiben Stereotype sowieso abgenabelt von realen Erfahrungen, so wie es der Joke auf den Punkt bringt: Ich hasse Amerikaner, aber alle, die ich kenne, sind nett.

Die Stereotypen, die sich auf die gemeinsame Kriegserfahrung beziehen, sind besonders aufgeladen. Entsprechend viel und intensiv wird auch relativiert. Die Relativierungen machen die Stereotypen aussprechbarer, verleihen ihnen den Schimmer von political correctness. Falls das alles wirklich einen festen Bestandteil eines Stereotyps bildet, würden sie tatsächlich dazu beitragen, dass sich diese Stereotypen weiter halten können.

Deutsche sind ordentlich, diszipliniert und pünktlich.

Wie ist ein Stereotyp gedacht: positiv oder negativ? Das fragt man öfter. Doch, was vordergründig klar positiv klingt, kann kippen.

Die Deutschen sind bekannt für Solidität und Fleiß und die Produkte, die dort hergestellt werden, genießen den Ruf hervorragender Qualität.
http://www.odyssei.com/pl/travel-tips/10254.html

Das Folgende ist wohl klar positiv gemeint? Doch gegen Ende schleichen sich schon die Reserven ein.

> Deutschland ist doch ein Land, das für seine Solidität bekannt ist.
> http://www.radio.com.pl/jedynka/business/iv.asp?ivID=428
> mczech.html

> Lasst uns zusammen das machen, wofür die Deutschen bekannt sind, also die gute Organisation unserer Mannschaft.
> http://paintball. info.pl/forum/index1.php?akcja=temat&temat_id=8351

> Die Deutschen sind doch die gut erzogenen Germanen, ziemlich formell, und oft behandeln sie neu kennengelernte Personen mit unnötiger Distanz.
> http://www.mylekarze.pl/content-plusy-i-minusy-pracy-w-nie

> Da die Deutschen für Genauigkeit und Pingeligkeit bekannt sind, haben wir uns für das Entwicklungslabor der Firma Continental entschieden.
> http://www.bikeboard.pl/index.php?d=sprzet&g=12&art=329

Aber schleicht sich da schon was Negatives ein mit dem „doch", der unnötigen Distanz und der Pingeligkeit?

> Die Deutschen sind bekannt für ihre Genauigkeit und die Beachtung, die sie den Einzelheiten schenken.
> In der Welt werden die Deutschen als eine der pünktlichsten und ordentlichsten Nationen gesehen. Die Deutschen lieben Recht und Ordnung, die Deutschen mögen Verbote, und wenn sie die Gesetze erlassen haben, dann befolgen sie diese gern – sagt ein Berliner.
> http://www.rmf. fm/fakty/?id=60755

Vom Hörensagen. Das haben Stereotype mit Gerüchten gemein. Hier dient der Hinweis aufs Hörensagen schon dem ironischen Konterkarieren.

Stereotype, die für Rezipienten vordergründig positiv klingen, müssen nicht so gemeint sein. Positiv klingen sie für den, der die Wertung teilt.

Wie das Positive mit einem negativen Stereotyp zu erklären ist, sehen Sie hier:

> Die Deutschen sind ziemlich feig, wundere dich nicht, wenn jemand in einem Gespräch unter vier Augen sich korrekt verhält – dagegen wird er, sobald seine Bekannten anwesend sind, dich von oben herab behandeln. Generell haben sie Angst eine andere Meinung zu haben als ihre Umgebung. Dank dessen haben sie so eine Ordnung, aber man kann sie einfach manipulieren (II. Weltkrieg).
> http://www.niemiecki.ang.pl/Jak_Niemcy_odbieraja_Polakow_10622.html

Ein guter Weg der Aufklärung ist: Die Struktur des Stereotyps auf sich selbst anwenden. Und dann vielleicht erkennen, warum es geteilt und geliebt wird.

> Einer der schnell erkennbaren Unterschiede ist die Einstellung zur Pünktlichkeit. In deutschen Krankenhäusern arbeitet man gewöhnlich von 7. 00 bis 15. 30 Uhr und normalerweise kommt man zur Arbeit etwas früher und geht etwas später – nie umgekehrt.
> http://www.mylekarze.pl/content-plusy-i-minusy-pracy-w-niemczech.html

> Ich kenne z. B. solche Deutsche, die weder pünktlich noch ordentlich sind.
> http://forum.tanuki.pl/tematy18/1737,30.htm

Erfahrungen sind disparat, wenn auch nicht immer realistisch. Sie können trotzdem Stereotypen konterkarieren. Und was besagt das für das Stereotyp? Eher nichts, denn **Stereotype sind weitgehend immun gegen Erfahrung**. Oder gilt es ein anderes Stereotyp entgegenzusetzen wie hier? Und sollten das die gleichen Träger sein?

> Ein anderes Beispiel ist die goldene deutsche Jugend, die literweise trinkt. Verschiedene Getränke und die Verpackungen lässt sie an den undenk-

barsten Orten stehen. Also könnt ihr die steril sauberen Straßen vergessen. Bezüglich der goldenen Jugend ist zu sagen, dass die Mehrheit Ordnung im eigenen Zuhause hasst, und das Kuddelmuddel, das man dort vorfinden kann, grenzt an einen durchgezogenen Orkan oder erinnert an die Landschaft nach einem Atombombentest.
http://dreakmore. tigana.pl/wagabundo/lza03.html

Man spürt die Not, generalisieren zu müssen. Auch im Differenzieren müssen wir generalisieren.

Ich kenne den aggressiven Geschäftsstil der Deutschen, weil ich mit ihnen tagtäglich zusammenarbeite. Dieser Stil zeigt sich nicht in offener Arroganz und Aggression, er ist oft sehr kultiviert, obwohl er immer nur gezielt auf die maximale Nutzung der Möglichkeiten geht, um das angestrebte Ziel zu erreichen.
http://ojczyzna.pl/forum/read.php?f=3&i=1052&t=1036

Man erkennt nicht genau, worin die Reserve eigentlich besteht und wie sie fundiert ist.

Sowieso ist jeder Deutscher ein Pedant und ein nationaler Chauvinist.
http://www.rubikkon.pl/NUMERB/tn-1009-8122.htm

Szkopy [abwertende Bezeichnung für Deutsche] sind langsame Faultiere. Szkopy sind ein langsames Volk.
http://finanse.wp.pl/POD,2,wid,8182748,wiadomosc.html

Man sollte sich vielleicht selbst nicht so weit weg sehen von den Stereotypen über die anderen. Üblich und doch nicht unbedingt hilfreich ist nämlich der stille Vorbehalt: So sind die, ich nicht.

Damit will ich euch sagen, dass die Deutschen die Vorliebe zur Ordnung tief verinnerlicht haben. Sie können aber sehr extrem handeln: Entweder sind sie sehr ordentlich oder total unordentlich. Wenn man aber beide Extreme genauer betrachtet, wird man sicherlich in 90%der Fälle das Letztere vorfinden, vermutlich weil sie ost- oder südosteuropäisches Blut haben. Die Erstgenannten würden sofort einem neuen Hitler folgen, um Ordnung in der Welt einzuführen.

http://dreakmore. tigana.pl/wagabundo/lza03.html

Wie kommt man an gegen ein solches Stereotyp? Am besten mit einem anderen Stereotyp. Auf einen groben Klotz gehört ein grober Keil. Ob man so aus der Stereotypenfalle rauskommt, ist eine andere Frage.

In Deutschland haben die Leute zuhause schon drei verschiedene Mülleimer. Ich habe gehört, dass man, wenn man diese Mülltrennung nicht einhält, dass man dann eine Strafe bezahlen muss.

http://www.sciaga.pl/tekst/19470-20-ja_nie_chce_by_moje_miasto_bylo_w_ue

Wie ist es eigentlich mit der deutschen Ordnung?
Ich habe bis heute keinen Menschen gesehen, der, nachdem er die Zigarette zu Ende geraucht hatte, zum nächstgelegenen Mülleimer gehen würde, um diese auszudrücken.

http://dreakmore. tigana.pl/wagabundo/lza03.html

Wir sehen, wie das Positive sich mit dem Negativen verbindet, wie es kippen kann. Machen solche Mischungen das Stereotyp nicht realistischer?
Wenn man die Funde arrangiert kommt eines klar heraus: Stereotype bilden kein konsistentes System, vor allem nicht in größeren Gruppen. Darum könnte ihre overte Formulierung auch zum Guten wirken. Man kann auf jeden Fall nicht viel dagegen haben, wenn jemand Gegenbeispiele nennt.

Deutsche lieben Sauberkeit und sind große Mülltrenner.

Überall, sogar in den Bauernhöfen, springt einem die sprichwörtliche Sauberkeit in die Augen – und in die Nase. In der Tat, die Deutschen sind eine sehr saubere Nation.
http://www.nestle.pl/wellness/artykul.asp?id=178&idp=10

Es kommt immer auf die Wertungsbasis an. Drum kann das Stereotyp auf einen selbst zurückfallen. Gut ist es, wenn man die Unterschiede und die eigene Basis benennt.

Mit dem Stereotyp des Deutschen verknüpfe ich Kriegsangelegenheiten, ansonsten ist er sehr sauber, fleißig und sparsam.
http://www.radio.com.pl/jedynka/news.aspx?iID=7016

Die Kenntnis von Stereotypen kann unseren Blick leiten. Sie lässt uns Realität sehen oder einbilden – wenn auch stereotypisch fokussiert wie hier:

Ich war in Deutschland und ich weiß, wie es dort ist: Nach außen scheint alles perfekt zu sein, aber wenn du genauer hinschaust, wirst du Verpackungsmüll auf dem Rasen sehen, Zigarettenkippen auf der Straße ebenso wie Hundescheiße.
http://facet. interia.pl/moto/moto_fan/news?ctinf=758386

Deutsche sind Biertrinker.

In ganz Deutschland ist das Getränk Nummer eins zweifellos Bier. Die Deutschen sind auch für ihre hervorragenden Weine bekannt, die in Süddeutschland produziert werden.
http://www.traveligo.pl/x.php/1, 736/Co-pi-w-Niemczech.html

Ja, das ist doch ein Thema, bei dem man sich treffen kann. Aber ganz so glatt läuft das auch nicht. Man braucht etwas, was man dagegensetzen kann.
Ich glaube, dass die Deutschen für ihren Geiz berühmt sind, und natürlich

für gutes Bier.
http://www.radio.com.pl/jedynka/news.aspx?iID=7016

Wie kommt so eine Zusammenstellung von Eigenschaften zustande? Folgt sie einer semantischen Ordnung oder bleibt sie rein assoziativ?

> Lasst uns vielleicht über die dicken deutschen Weiber lachen und die Impotenz ihrer Männer! Sie sind laut, vulgär, verfressen und trinken viel Bier, produzieren die schlechtesten Ladenhüter in der Welt. Sie sind zu nichts zu gebrauchen.
> Die schlechtesten Ladenhüter – wie z. B. Mercedes?
> http://forum.gazeta.pl/forum/72,2.html?f=902&w=43375327&a= 43386836

Auch hier der Versuch des ironischen Konterkarierens, aber um den Preis der knackigen Formulierung.
Die letzten drei Gruppierungen mit positiven Überschriften zeigen, dass es nicht so einfach ist, positive und negative Stereotype voneinander zu unterscheiden. Manchmal schleicht sich nur ein negatives Wort ein, oft wird das Positive relativiert oder ironisiert oder es kommt zu einer Gegenüberstellung des positiven Stereotyps mit den selbst gemachten negativen Erfahrungen. In der Literatur unterscheidet man immer ganz glatt zwischen positiven und negativen Stereotypen. Die Empirie liefert andere Eindrücke.

Deutsche, besonders Frauen, schauen nicht gut aus.

In der letzten Sammlung klang es schon an:

> Deutsche Frauen sind wirklich ziemlich dick. Die Erklärung dafür ist einfach: Schlechte Essgewohnheiten, üppige Küche, Fertiggerichte voller Konservierungsstoffe. Ich glaube, die Polinnen pflegen sich mehr.
> http://forum.tanuki.pl/tematy18/1737,30.htm

Hier etwa wird noch gehedgt mit „ziemlich". Man spürt fast Anteilnahme.

> Die Polen haben „schwache Fußballspieler" – und die Deutschen hässliche Frauen. -:)
> Natürlich mit kleinen Ausnahmen -:)
> Wir haben bei uns im Lande ca. 23 gute Fußballspieler – und die Deutschen haben in ihrem Lande ca. 23 hübsche Frauen.
> http://rasiak.pl/2006/06/janas-cham.html

Wer da wohl spricht? – Er hat auf jeden Fall die Männerbrille auf. Im Übrigen: Distanz tut immer gut. Aber hilft sie wirklich?
Hier nun wird es schonungslos abwertend.

> Wo bist du, wenn die Kühe hübscher sind als die Frauen?
> Du hast einfach die Grenze an der Oder überquert.
> http://forum.pclab.pl/index.php?showtopic=175358&pid=2518936&t=0

> Wie kann man die deutsche Frau von der deutschen Kuh unterscheiden?
> An den zwei Ohrringen.
> http://forum.pclab.pl/index.php?showtopic=175358&pid=2518936&st=0

Die Deutschen sind dumm.

> Die Deutschen sind ein dummes Volk.
> http://www.niemiecki.ang.pl/Jak_Niemcy_odbieraja_Polakow_ 10622.html

> Ich würde schon 10 Sachen erledigen, während Szkopy [abwertende Bezeichnung für Deutsche] erst losgehen würde – was für Idioten.
> http://finanse. wp.pl/POD, 2, wid, 8182748, wiadomosc.html

> Der Deutsche ist ein Mensch, der denkt, dass man in allen anderen Ländern Deutsch spricht und dessen Intelligenz Null nicht überschreitet; sie

sind kein bisschen einfallsreich und man kann sie immer verarschen.
http://tiny.pl/tq8c

Als du sagtest, dass du nach Polen fährst, fragten angeblich deine Landsleute, warum du in Asien wohnen möchtest…
http://kiosk.onet.pl/magazyn/1143940,1690,2,artykul.html

Die Wahrheit ist, dass Szwaby [abwertende Bezeichnung für Deutsche]
fette, faule Idioten sind, die nur Unsinn reden können und ihre Mann-
schaft zu 35% aus Menschen anderer Herkunft besteht – oder Kinder von
Immigranten, die die Staatsangehörigkeit haben.
http://tiny.pl/tq8c

Sind diese Stereotypen nicht wunderbar zu erkennen? So offen und brutal.
Das aber ist auch eine Eigenschaft des Diskurses, wenn klar ist, dass es um
Stereotypen geht. Da darf man schon mal vom Leder ziehen. Je nach Publikum muss das dem Stereotyp nicht nicht unbedingt zuträglich sein, aber
schädlich auch nicht unbedingt.

Der Papst ist ein Schwab.

Und wir haben einen deutschen Papst! – Sieg heil!
http://www.pidzamaporno.art.pl/forum/read.php?3,140642

Das ist offen polemisch und polemisch gedacht.

Wenn ihr denkt, dass die Tatsache, dass ich die Deutschen nicht mag, mich
zum Nazi macht, dann ok – dann bin ich's. Was war denn Hitler? Ich mag
sie einfach nicht und das verstecke ich nicht und sage, dass B16 [Benedikt
XVI] ein Nazi ist – das sage ich, denn wenn ich sein Foto in der Zeitung
sehe, auf dem er so ausschaut, als ob er etwas gegen die anderen hätte (und
das ist nicht nur meine Meinung, aber die Meinung eines Menschen, der
eine Voreingenommenheit gegen die Deutschen hat).

Und ich nenne ihn Nazi, weil ich ihn nicht mag und im Allgemeinen für mich jeder Deutsche ein Nazi ist.
http://www.kult. art.pl/forum/viewtopic.php?id=3353&p=5

Solche Aussagen machen es einem leicht, sie abzutun. Aber wäre das vernünftig? Auf jeden Fall sind sie in der Welt und darum muss man drauf gefasst sein.

Ich empfinde eine „unbegründete Abneigung dem neuen Papst gegenüber".
Aber das vielleicht deswegen, weil ich mit den Deutschen schon seit meiner Kindheit Schlechtes verbinde und irgendwie passt mir ein Deutscher für das Amt des Papstes nicht.
http://hydepark.net.pl/viewtopic.php?t=2755

Stereotype haben eine Tendenz der Wucherung. Sie werden wahllos angewendet auch auf Fälle, für die sie nicht gedacht sind. Der kategoriale Aufhänger zieht.

Ich verstehe nicht, worum es geht?
Habt ihr den Papst, dann solltet ihr euch freuen... ich freue mich... und dass er ein Deutscher ist? Wo ist da der Unterschied?
Dass er ein Deutscher ist – in unserem Volk überwiegt doch die Überzeugung, dass jeder Deutsche ein verdammter Schwab ist, ich sage nicht, dass jeder so denkt.
http://hydepark.net.pl/viewtopic.php?t=2755

Dieser Papst [Benedikt XVI] wird helfen, die Abneigung, das Trauma und den Widerwillen dem deutschen Volk gegenüber zu durchbrechen, welche heute die Bürger der Länder empfinden, die während des Krieges zu den Alliierten gehörten.
http://www.victor.com.pl/forum/viewtopic.php?p=68757&amp:sid=ed2 495d b4fac2583325785814bbe6b93

Die Deutschen sind uns gegenüber negativ eingestellt.

Stereotypen müssen sich nicht einseitig mit den anderen befassen. Sie reflektieren auch das Verhältnis der Beteiligten.

> Erstaunlich, dass die Deutschen keine Witze über Russen, Tschechen oder Ungarn machen oder beleidigende Artikel über sie schreiben, sondern sich immer auf Polen und die Polen stürzen. Ich würde gerne in der deutschen Presse wenigstens einen positiven Artikel über Polen lesen!
> http://www.niemiecki.ang.pl/Jak_Niemcy_odbieraja_Polakow_10622.html

Wer recht weit von einem entfernt ist, der interessiert einen wenig. Erstaunlicherweise gibt es die meisten Stereotype über Leute, die man kennt, wenigstens ein bisschen oder vom Hörensagen. Etwas muss eben Thema sein, muss Relevanz haben. Und in der Wahrnehmung geht man von sich selbst aus. Man sieht eben, was man sieht.

> In Deutschland gibt es viele Witze über Polen, in allen sind die Polen Diebe.
> http://www.niemiecki.ang.pl/Jak_Niemcy_odbieraja_Polakow_10622.html

> Welchen Eindruck habe ich? Dumme Frage, schaut euch ihre beleidigenden Artikel in der Presse und im Fernsehen an, was für Diebe, Ferkel, Verbrecher usw. die Polen sind. Soll man noch was dazu sagen? Lest euch deutsche Zeitungen durch, neulich z. B. über den polnischen Präsidenten.
> http://www.niemiecki.ang.pl/Jak_Niemcy_odbieraja_Polakow_10622.html

Irgendwie kann man beim Stereotyp denken: Ab heute wird zurückgeschossen. Denn **viele Stereotypen werden gerechtfertigt mit Stereotypen über Stereotypen der anderen gegen einen selbst.**

Das liegt auch dem folgenden zugrunde, wenngleich mit masochistischem Zwischenglied.

Weil die Deutschen die Polen einfach nicht mögen, bemühen wir uns irgendwie sie zu mögen, aber – es geht ihnen am Arsch vorbei, weil sie in Europa mehr Bedeutung haben als unser kleines Polen.
http://ekipa. tlen.pl/forum/lofiversion/index.php/t2193.html

Ich hasse ihre Sprache, ihren Verhaltensstil, sie selber, ich mag Mercedes nicht (da übertreibe ich), im Allgemeinen nerven mich die Deutschen und vor allem ihre Sprache. Vielleicht mag ich sie auch nicht, weil sie uns nicht mögen?
http://ekipa. tlen.pl/forum/lofiversion/index.php/t2193.html

Beinahe der gesamte deutsche Spargel wird von Polen geerntet, weil die deutschen Bauern mit ihnen sehr zufrieden sind. Wie man hört, stechen die Polen den Spargel ein paar Mal so schnell wie der durchschnittliche Deutsche.
http://www.ppr.pl/artykul.php?id=124847

Das ist der seltene Glücksfall: Fremde mit Eingeborenen in Harmonie. Da ist eigentlich egal, wie weit Stereotype zutreffen. Kann man sogar folgern, dass nur die kontroversen Zwietracht säen?
Die **Kenntnis von Stereotypen der anderen über einen selbst, auch die von eingebildeten, rechtfertigt die eigene Einstellung**. Es handelt sich um eine Art Retourkutschen. Und dennoch könnte das Aussprechen von Stereotypen die Stereotypen-Wut auch zügeln.

Wann endlich wird man in unserem geliebten Polen aufhören, die Deutschen sich dauernd als bequemes, „stets diensthabendes" Feindbild zu wählen? Hört damit auf, und zwar sofort! Wir sind nicht deswegen in die EU eingetreten, damit wir dauernd in der Vergangenheit graben!!!
http://media. wp.pl/kat, 8173, wid, 8478656, wiadomosc.html?P[page]=2

Deutsche sind Monster.

Dick=ekelhaft, rothaarig=falsch, also ein Deutscher -:)
Wir sollten uns nicht vormachen, dass die Polen die ekelhaften, falschen
und vulgären Biertrinker mögen. He He He He!!!!
http://forum.gazeta.pl/forum/72,2.html?f=902&w=43375327&a=
43386836

Immer nur eine Stimme? Oder geteiltes Stereotyp?

Auf Distanz

Viele polnischen Fans kamen nach Gelsenkirchen mit den Autos. Das hat
auch positive Seiten. Viele Einwohner des Ruhrgebiets haben ihre längst
verschollenen Autos wieder gesehen, sagte einer der Showteilnehmer.
http://tiny.pl/tq8c

Fahrt nach Deutschland! Das Erbe eurer Großeltern ist schon da.
http://forum.pclab.pl/index.php?showtopic=175358&pid=2518936&st=0

Griffige Redensarten und Witze basieren Stereotype. Gerade Witze können sie
festigen – aber vielleicht auch ins Lächerliche ziehen. Könnte das ein Heilmittel sein?

Eine Zusammenfassung?

Was solltest du über die Deutschen wissen?
1. Bereite dich darauf vor, dass der Deutsche keine Fremdsprache spricht.
2. Der Deutsche ist außergewöhnlich faul, in der Regel arbeitet er 35
Stunden in der Woche (die Gewerkschaften wollen sogar die 30 Stun-
den-Woche durchsetzen). Er hat 7 Wochen Urlaub und nutzt die maximale
Zahl von Feiertagen. Dabei muss man anmerken, dass bei den meisten
Feiertagen der Deutsche eigentlich nicht weiß, was er gerade feiert. Wenn
man ihn nach dem Sinn solcher Festtage wie Pfingsten oder Fronleichnam

fragt, wird man im Gesicht des Deutschen eine Panik sehen, als würde ein Gorilla um die Ecke biegen oder seine Schwiegermutter. (Öfter verwechselt er diese beiden.) -:)

3. Der Deutsche ist eine außergewöhnlich ungebildete Spezies, es reicht, das Wort Pisastudie auszusprechen, in der man die Intelligenz der deutschen Schüler untersucht hat, und schon wird der Deutsche rot vor Verlegenheit und rennt davon. Also lass es, mit ihm darüber zu reden.

4. Der Deutsche ist durch Trunksucht gekennzeichnet (Oktoberfest), durch das Fehlen guter Manieren (deutsche Touristen z. B. in Spanien) und durch den Mangel an Musikalität (VOLKSMUSIK).

5. Das Objekt der Zuneigung und das Ziel seiner Träume ist bei jedem Deutschen zwischen 40 und 75 der GARTENZWERG. In seiner Pracht befriedigt er vollkommen den Sinn für Schönheit und Romantik bei Hans und Hermenegilda.

6. Sinn für Humor: Die Sache mit dem Sinn für Humor bei den Deutschen ist so, dass sich bei ihm ante und post mortem in dieser Angelegenheit nicht viel ändert. -:)

7. Alles, was eine junge Deutsche braucht, um ihrem Mann ein Mittagessen vorzubereiten, ist ein Telefon.

8. Der Deutsche schätzt seine Familienmitglieder sehr, deswegen schickt er gerne seine Oma und seinen Opa in die dauerhafte Erholung von Verpflichtungen und Familienstress, also ins Altersheim. Das Altersheim liegt möglichst in Norddeutschland, wenn der Deutsche im Süden wohnt – oder umgekehrt, damit Opa und Oma nicht hin und wieder auf die Idee kommen, zum Mittagessen zu kommen.

Opa und Oma werden jedoch regelmäßig besucht, nämlich einmal im Jahr, weil man schauen muss, dass sie hoffentlich das Testament nicht geändert haben.

9. Die Deutschen sind sehr faul. Das ist die Wahrheit. Und so geizig, ich musste immer im Restaurant für mich alleine bezahlen, deswegen habe ich Schluss mit meinem deutschen Freund gemacht und jetzt will ich keinen szwab mehr.

http://www.smieszny.net/teksty/pokaz.php?id=1099

Eine wunderbare Zusammenstellung. Aber fehlt da nicht das zehnte? Auf jeden Fall können Sie hier sehen, dass Stereotypen schon eine reale Basis haben, an der man lernen könnte. Ganz ohne Basis muss die Karikatur nicht sein. Sie können selbst entscheiden, wie stabil die Basis ist.

Hier noch unsere eigene Übersicht in Stichwörtern. Die Anordnung ist nicht weiter bedeutsam.

Polen über Deutsche

1.2 Deutsche über Polen

Was hast du eigentlich gegen die Polen? – Eine gute Autoversicherung!!!
http://www.onlygame.de/polenwitze.php

Und woraus machen die Polen ihre Autos? – Aus Diebstahl.
http//www.witzbank.de/polen.htm

Die Polen waren jetzt auch im Weltall.
Der große Wagen ist weg.
http://www.englein-freedownload. at/polen.htm

Fährst du nach Polen? – Dein Auto ist schon da.
http://forum.tanuki.pl/tematy18/1737, 30.htm

Die Antwort der Polen hierauf haben wir schon kennen gelernt. **Die Fremdstereotype der anderen bleiben uns nicht unbekannt.** Wir beziehen sie
ein, reagieren auch darauf – und können uns täuschen.

Das gute an dem kalten Wetter ist, die Polen lassen Ihre Hände in den eigenen Taschen.
http://members. aon. at/thelucifer/polen.htm

wir dummen deutschen kaufen uns die teuren umts-handys und die polen
klauen sie.
http://winfuture.de/news, 13016.html

… die Polen mehr haben mehr Angst um meine Sachen als ich, denn selbst
beim Fahrrad sagen sie immer ich soll es in den Keller stellen! Hab ich aber
nicht immer Lust drauf und ist trotzdem noch nie weggekommen! (Obwohl ich doch keine Lust habe, es wieder ins Auto zu packen, wenn ich
heimfahre, nimmt so viel Platz weg)
http://www.radarforum.de/forum/lofiversion/index.php/t14620.html

Sicher haben Sie erkannt, um welche Stereotypen es hier geht. Sie kannten sie schon. „Polen sind Diebe" lautet das Stereotyp, das man kennen muss, um die Witze zu verstehen. Das Stereotyp bildet den Hintergrund, es bleibt implizit. Eigentlich ist es ja so, dass die Stereotype, die unser Handeln leiten, sowieso implizit bleiben. **Formulierte Stereotypen sind nur die Spitze des Eisbergs.** Formuliert werden sie schon mal als Begründungen oder im Stereo-Talk, der Gemeinsamkeit schaffen soll.

Das mit den Witzen, die auf Stereotypen basieren, kann zwiespältig gesehen werden: Einerseits wird so das Stereotyp gepflegt, andererseits wird es aber auch persifliert, vor allem steht der Witz im Vordergrund. Und für Witze gibt es bewährte Strukturen, auf den sachlichen Gehalt kommt es gar nicht mehr an. Der Witzemacher wie der Witzeerzähler muss dem Stereotyp nicht anhängen. Beide müssen nur wissen, dass es das Stereotyp gibt. Dann verstehen sie sich. Insofern können Witze das Stereotyp festigen. Dennoch: Man kann Witze durchaus positiv sehen als ersten Schritt der Bewusstwerdung, obwohl sie Stereotype implizieren.

Hier beginnen wir zum Vergleich mit dem Überblick.

Deutsche über Polen

Polen hassen Deutsche.

Die Polen sind ja bekannt dafür, zwar Deutsche zu hassen, aber wenn´s es sich um Vertriebenausweise handelte, bechissen, bestochen, falsch ausgesagt haben, ohne Ende.
http://www.politikforen.de/archive/index.php/t-26643.html

Sehr schön gesteigert. Könnten wir die Rechtschreibung als irgendein Indiz oder Symptom nutzen? Sehen wir den Schreiber dahinter? Wer in Blogs liest, steht öfter vor dieser Frage. Die schreibenden Personen hinter den Auslassungen, seien es ihre Rechtschreibfähigkeiten, seien es ihre sprachlichen und stilistischen Fähigkeiten, sehen wir bei deutschen Texten immer. Die Frage bleibt: Welche Schlüsse können wir woraus ziehen?
Im folgenden wird erst mal relativierend vorgebaut, dann aber das Erlebnis stereotypisiert genutzt.

Ausländerfeindlichkeit ist nicht an der Tagesordnung – aber es gibt sie, berichtet Heike aus eigener Erfahrung. Ich bin mit einer anderen Freiwilligen durch Olsztyn (früher Allenstein) gelaufen und wir haben uns auf Deutsch unterhalten, als sich ein Mann umdrehte und in sehr unfreundlichem Ton sagte, wir seien in Polen und sollten gefälligst Polnisch sprechen.
http://www.wiesbadener-tagblatt.de/region/objekt.php3?artikel_id=2206

Wer interkulturell denkt, kann sich als stiller Beobachter fühlen und seine Schlüsse aus den Beobachtungen ziehen. Die Schreiberin könnte aber auch partizipieren, vielleicht das Ganze als kritisches Experiment sehen und erproben. Doch nicht immer gilt, wer wagt, gewinnt.

Die Polen hängen an der Geschichte.

Die Polen sind sehr durch die Geschichte geprägt. Polen befindet sich im Aufbau und es ist sehr interessant dies zu erleben.
http//www.unimannheim.de/users/aa/eb/Polen_krakau_Breitenbach.pdf

Die Polen sind ein stolzes und geschichtsbewusstes Volk.
http://www.tages-anzeiger. ch/dyn/news/ausland/370004.html

Andererseits sind die Polen solidarischer. Vielleicht, weil sie geschichtsbe-
wußter als die Deutschen sind und einen großen Nationalstolz haben.
http://www.morgenpost.de/content/2005/09/25/biz/781598.html

Auf Vergleiche haben wir schon hingewiesen. Sie liegen den meisten Stereotypen naturgemäß zugrunde. Man kann darin ein Prinzip menschlicher Kogni-
tion sehen.

Polen sind stolz.

Die Polen sind ein stolzes Volk.
http://www1. pds-brandenburg. de /web/ticker/2006/07/21/

Die Polen sind stolz auf sich, auch wenn sie oft über ihr Land schlecht reden.
http://www.btu-forum.de/phpbb2/viewtopic.php?p=13424

Die Polen sind sehr stolz auf ihre Geschichte.
http://files.hanser.de/hanser/docs/20060410_264116333-38_3-446-
40586-0_Leseprobe.pdf

Die Polen glauben an ihre Nation.
http://www.wirtschaftsmedienberatung.de/news_events/
40,142,142,0.php

Für wen ist das auffällig? Ist es jemand, der bedauert, dass die Deutschen nicht
so sind? Wäre er selbst gern stolz auf Deutschland? Wir fragen immer, was das
Stereotyp dem Träger bringt. Auch wenn er als Oberlehrer es den anderen nur
zubilligt.

Die Polen hatten in etwa dieselben Voraussetzungen, doch sie haben die Transformation aus eigener Kraft geschafft ... Die Polen können stolz auf ihre Leistung sein.
http://www.karriere.de/psjuka/fn/juka/SH/0/sfn/buildjuka/bt/2/cn/cn _artikel/aktelem/DOCUMENT_1571/oaobjid/23498/page1/PAGE_7/p age2/PAGE_1106/site/PAGE_4/home/0/url//index.html

Und das folgende bringt dann das Totschlagargument.

Die Polen sind doch bekannt für Größenwahn und Selbstüberschätzung.
http://www.politikforen.de/archive/index.php/t-2147.html

Partikeln wie *doch* und *ja* fischen Komplizen. Das ist eine typische Funktion von Stereotypen. Sie sind dazu da, soziale Gruppen zu etablieren und zusammenzuhalten. Darum ist es so wichtig, den anderen mit ins Boot zu nehmen und darum verwahren wir uns so selten dagegen.

Polen sind offen gegenüber Deutschland.

Die Polen sind stark Richtung Westen orientiert. Sie sind sehr wissbegierig auf alles, was aus Deutschland kommt.
http://www.br-online.de/politik/ausland/themen/2005/00359/

Die Polen sind sehr an dem deutschen System interessiert.
http//www.bibb.de/dokumente/pdf/a11_jobstarter_auftaktkonferenz_sta rtseite_offene-runde.pdf

Obwohl der Zweite Weltkrieg auf polnischer Seite eine grössere Rolle im Bewusstsein der Leute spiele, bringen die Polen mehr Sympathie für die Deutschen auf als umgekehrt. Insbesondere die junge Generation sei dabei in Polen viel offener als in Deutschland.
http//www.wirtschaftsforumberlin.de/fileadmin/wiforum/download/Pro tokoll_Oderregion_4_7_2006.pdf

Das ist nicht ungeschickt: Man gibt das Stereotyp vom Hörensagen wieder mit dem vorsichtigen Konjunktiv, sagt aber nichts dagegen.

In Vergleichen werden oft zwei Stereotype genutzt und offen gelegt. Eines dient als Vergleichshintergrund für das andere.

> Außerdem sind die Polen auch an Deutschland viel interessierter als umgekehrt.
> http://www.bundestag.de/dasparlament/2004/15-16/ThemaderWoche/0
> 01.html

Oft wird nicht einfach verglichen, sondern mit dem Komparativ eine Folge, eine Hierarchie, auch eine Wertung hergestellt. Neutrale Vergleiche wären eher nutzlos.

Polen sind fleißige und gute Arbeiter.

> Die Polen sind die besten Arbeiter, die es gibt.
> http://www.politikforum.de/forum/archive/index.php/t-134816.html

Wenn schon positiv, dann gleich richtig übertrieben. Man hebt sich ja ab – von einem anderen Stereotyp. Da muss man kräftig gegenhalten. Das folgende räumt auf mit einigen gängigen Stereotypen und nimmt damit implizit Bezug auf diese. Alles, was gesagt wird, wird auf einem Hintergrund gesagt, der es sagenswert macht.

> Polen sind sehr fleißig. Ich habe eine polnische Bekannte und hatte einen polnischen Gärtner. Der Mann war einfach spitze, mit Gold nicht zu bezahlen. Der hatte auch meinen Haustürschlüssel ... ich will damit sagen, mein vollstes vertrauen.
> http://www.123recht.net/forum_topic.asp?topic_id=76749&page=2

Die folgenden zeigen noch einmal die kühne Generalisierung, die als hervorstechendes Merkmal von Stereotypen gilt. Man muss sich immer wieder fragen, welche kommunikativen Grundsätze dem zu Grunde liegen und ob man so wirklich durch Erfahrung lernt.

... für mich sind die polen die besten karosseriebauer und mechaniker die ich kenne.
http://www.nissanboard.de/artikel_nissan_51940_page_3.html

Und außerdem sind die polen top mechaniker.
http://forum.auto.freenet.de/app/m/_t165319c1084pf-1auto_Gas_geben _mit_Autogas_PreisSchock_an_der_Tankstelle_Auto_Verkehr.html

Eigentlich unverständlich, denn die Polen machen ihre Sachen ausgezeichnet.
http://www.obliveon.de/pn-om/modules.php?op=modload&name=tplvi deo&file=index&req=showcontent&id=7820

Die Polen machen ebenso gute Arbeit wie in Deutschland.
http://www.koch.ruhr.de/Nikas/lpg.htm

Wer frühere Polenstereotype kennt, kann hier einen Beleg für die These sehen, dass der Augenschein und persönliche Beziehungen hilfreich sein können. In vielen Funden schimmert das alte Stereotyp noch durch. Denn warum sollte das sonst sagenswert sein. Aber oft genug ist auch von eigener Erfahrung die Rede und der Überzeugung, dass jenes Stereotyp nicht stimmt. Lernt man doch durch Erfahrung, selbst wenn man kühn generalisiert? Die entscheidende Frage ist: **Wie wirkt es sich aus, wenn ein implizites Stereotyp konterkariert wird? Kommt das an gegen das Stereotyp?**

Polen können improvisieren.

Die Polen sind Improvisationstalente, das ist durchaus positiv zu sehen und schlägt sich auch im Preis nieder, aber diese Improvisationen können nun mal nicht mit deutschen LUXUS-Lösungen verglichen werden.

http://www.autogas-boerse.de/forum/board_entry.php?id=12669&page=
0&category=all&order=last_answer&descasc=DESC

Diese Haltung ist verbreitet: Die anderen sind zwar nicht so gut wie wir. Aber man zeigt Empathie: In ihrem bescheidenen Rahmen geben sie ihr Bestes. Auch dagegen würde sich lohnen vorzugehen.
Eine andere Frage ist, ob das Stereotyp sich auf Polen bei uns oder auf Polen zu Hause bezieht. Kann man das erkennen?

> Bekannt sind die Polen für ihre Improvisationsfähigkeiten. Improvisationsliebe und Flexibilität vermitteln das Gefühl von Freiheit und Unabhängigkeit.
> http://72. 14. 221. 104/search?q=cache:8Yy3j-RIsV0J:

> Die Polen arbeiten nach dem Hauptsache-es-funktioniert-Prinzip und achten wenig auf ein schönes Aussehen, so haben Sie den Tank mit Schlüsselschrauben befestigt und die Anlage mit selbst gemachten Winkeln.
> http://www.motor-talk.de/t871032/f258/s/thread.html

Und wenn wir in solchen Vergleichen schlecht abschneiden, wie ernst ist das gemeint? Vielleicht ist es nur eine Methode der Übertreibung.

> Die Polen sind eben flexibler als wir und das sollte man anerkennen.
> http://www.bademeisterblog.com/board//thread.php?threadid=14719&si
> d=5a02edabaff64d7fdcb43f297605a119

> In Polen ist nicht alles so perfekt durchorganisiert wie in Deutschland. Am Anfang ist dies eine Umstellung und mag einem wie ein Riesenchaos vorkommen – aber man realisiert schnell dass es in Polen für alles eine Lösung gibt und man lernt die Flexibilität und Kreativität der Polen zu schätzen.
> http//www.unimannheim.de/users/aaa/eb/Polen_krakau_
> Breitenbach.pdf

Die Beziehung zu Polen basiert wesentlich auf Arbeit. Das ist nicht nur Realität, sondern auch Thema. Und immer geht es um *die* Polen und *die* Deutschen.

Polen machen die Preise kaputt.

... im Job: naja, ich bin gefeuert worden, die Polen sind nun mal billiger.
http//www.nationalejugend.de/information.html

Ich habe 6, 28 Euro brutto je Stunde als Wachmann, die Polen machen den Job für 2, 50 Euro brutto.
http://forum.digitalfernsehen.de/forum/archive/index.php?t-54326.html

Die Polen machen die Preise kaputt. Die arbeiten hier für 3€ die Stunde und geben ihr Geld dann in Polen aus.
http://www.ver-tarn.de/article/332/frontbericht-aufstand-bundeswehr-iran-kabul

Vordergründig nur eine Feststellung. Für ihre Allgemeinheit wird der Schreiber aber kaum Evidenz beibringen. Diese Art von **Feststellungen liefern implizite Stützen für das Stereotyp**. So auch im folgenden Beispiel der letzte Satz.

Bitte, 2-3 Euro/h für einen Russen wirst du dir doch leisten können. Die Polen sind ja teurer, seit sie in der EG sind.
http://www.gatago.com/de/rec/garten/16343366.html

Hier wieder die Zustimmung und Gemeinsamkeit heischende Partikel *ja*: „Wir wissen das ja!"
Eine Grundstruktur der Stereotypisierung bilden Vergleich und Gegenüberstellung: Die und wir, wir und die.

Polen sind Saisonarbeiter.

Für die Deutschen sind die Polen Saisonarbeiter.
http://www.mz-web.de/servlet/ContentServer?
pagename=ksta/page&atype=ksArtikel&aid=1084300018600

Nur – die Polen sind schneller. Also beim Spargelstechen, meine ich.
http://www.shopblogger.de/blog/archives/3801-Die-Knoedel.html

Relativierung dient nicht nur dem Schutz des Stereotypenträgers. Sie kann das Positive auch entwerten.

Was polnische Arbeitskräfte im allgemeinen angeht, so sollte festgehalten werden, dass die hiesige Wirtschaft schon seit Beginn des 20. Jahrhunderts von Saison- und Gastarbeiten enorm profitiert, der arbeitswilligste Teil kommt aus Polen. Das ist heute immer noch so.
http://www.web.manu-baeren.de/postreply.php?id=728&quotepost=236

Polen verrichten niedere Arbeiten.

Natürlich, die Polen machen mal wieder die Dreckarbeit.
http://www.polen-news.de/puw/puw74-07.html

Die polen machen knochenjobs und jobs die kein deutscher machen will.
http://www.bondboard.de/frames/board/board.php?command=listitems
&root=49021&beitragVon=0&listStart=1500

Es bleibt offen und ambivalent: Geht es um Empathie oder Diskriminierung?

Polen sind Schwarzarbeiter.

Wir wussten, dass wir drauf und dran waren, etwas Illegales zu machen. Aber wir hörten von Freunden, dass sie das Renovieren schwarz erledigen lassen. Wir trafen uns mit dem Polen. Schon beim ersten Gespräch merkten wir, dass er der Richtige war. Er ist durchs Haus gegangen, hat klar gesagt, was möglich ist, was nicht. Er hatte genügend Polen an der Hand, die nur zum Arbeiten hergekommen waren. In den nächsten vier Wochen arbeiteten zwischen einem und sieben Polen gleichzeitig in unserem Haus. Freundliche Männer, zwischen 35 und 45, absolut unauffällig. Sie kamen meist zu Fuß, und wenn sie mal ein Auto dabeihatten, stellten sie es 500 Meter entfernt ab. Sie waren top angezogen, ihre Kleidung haben sie erst im Haus gewechselt. Sie kamen versetzt, in Halb-Stunden-Abständen. Das waren Profis. Unsere größte Sorge waren die neuen Nachbarn. Denunzianten lauern überall. Steuerfahnder mit Ferngläsern auch. Wir waren beruhigt, als die Polen sogar die Fenster abklebten. Ihren Fernseher haben sie nur in fensterlosen Räumen angemacht. Einige der Arbeiter haben im Haus geschlafen. Wenn wir tagsüber vorbeikamen, hat man davon fast nichts gesehen. Es standen kleine Taschen in den Ecken, die Schlafsäcke wurden morgens eingepackt. Alles für die schnelle Flucht bereit. Der Bierkasten, den wir am ersten Tag ins Esszimmer gestellt hatten, blieb bis zum Schluss unberührt.

Nur einmal hatten wir einen deutschen Handwerker im Haus: Er sollte uns die Dusche einbauen, einen Heizkörper installieren und Rohre verlegen. Unser Problem war: Was macht der Mann, wenn er im Haus auf die Schwarzarbeiter trifft? Deshalb haben wir ihn unverblümt gefragt, ob er nicht auch auf die Steuer verzichten könnte. Skrupel hatten wir schon längst verloren. Er hat uns zehn Prozent seiner Kosten unversteuert berechnet – damit hatten wir ihn im Boot: Wenn er uns beim Finanzamt hätte hinhängen wollen, hätten wir auch was gegen ihn in der Hand gehabt.

Wir fanden, dass unser Geld bei unseren polnischen Helfern besser aufgehoben ist als beim Finanzamt. Die meisten von ihnen waren arme Bauern, einer hatte ein behindertes Kind zu Hause und sparte Geld für dessen Operation. Man kann uns vielleicht vorwerfen, dass wir unserem Staat gegenüber nicht loyal sind. Dafür haben Menschen Geld bekommen, die es dringend brauchen.

http://www.stern.de/wirtschaft/arbeit-karriere/arbeit/516602.html?eid=5
19883

Eine ganze Geschichte mit vielen lobenden Aussagen über Polen, auch generalisierende. Implizit sind nicht nur Stereotypen über die anderen. Indem man stereotyp redet, wirft man auch ein helles Licht auf sich selbst. Bekommen Sie auch Lust, inhaltlich zu kommentieren?

Es folgt eine typische Journalistengeschichte. Vordergründig könnte man meinen, es gehe um Individuen. Aber die Namen werden generalisierend verwendet. Auch so kann man stereotypisieren – für ein größeres Publikum sogar.

> Waclaw fährt polnische Schwarzarbeiter nach Deutschland. Ivan fährt ukrainische Schwarzarbeiter nach Polen. Waclaws Fahrgäste pflücken Äpfel, bauen Häuser, pflegen Alte, putzen, renovieren und hüten Kinder. In Deutschland. Ivans Fahrgäste pflücken Äpfel, bauen Häuser, pflegen Alte, putzen, renovieren und hüten Kinder. In Polen. Wie der Kapitalmarkt ist auch der Arbeitsmarkt globalisiert. Wie die Finanzströme der Rendite nachjagen, so folgen die Menschenströme der Arbeit. Die Globalisierung der Arbeit macht Polen gleichzeitig zum Auswanderungsland und zum Einwanderungsland. Von Deutschland aus gesehen ist Polen der Osten. Die Ukrainer sehen in Polen den goldenen Westen. In Deutschland sind Polen die Billigstarbeiter. Und die Ukrainer sind die Polen der Polen.
> http://www.stern.de/wirtschaft/geld/meldungen/index.html?id=516262&nv=ma_ct

Polen sind arm.

> Die Leute in Polen können sich die Autos, die sie bauen, gar nicht leisten von vier Euro die Stunde. Wer soll sich bald hier noch die Autos kaufen? Arbeitslose und Sozialhilfeempfänger können das nicht.
> http://www.wsws.org/de/2004/okt2004/inte-o16.shtml

> Ein Problem ist leider auch, dass man hierzulande die Polen leider immer noch als minderwertiges Volk betrachtet. Selbst der Prolet auf dem Dorf macht sich über Polen lustig, obwohl der Prolet, der zehn Euro Praxisge-

bühr beklagt, aufgrund seines Selbstmitleides im Boden versinken sollte. Es mag ja sein, dass einige Polen noch besonders arm sind, aber hierzulande ist man ja leider nicht arm an Hochmut, aber sehr arm an Charakter. http://www.vdsev.de/forum/viewtopic.php?TopicID=1225&page=0

Interessant, man kann die anderen in Schutz nehmen gegen Vorurteile und gegen die Eigenen stereotypisch polemisieren – und sich dabei noch aufgeklärt und gut vorkommen. Es scheint auch auffällig, wie offen und ungeniert im Stereotalk über charakterliche Eigenschaften der Betroffenen geredet wird – wie übrigens explizit (und implizit) auch über die eigenen.

Vor 20 Jahren half ein Gärtchen über das Schlimmste hinweg – mit eingekochtem Obst und Gemüse. Nun haben die Polen zwar volle Ladenregale, ein Urlaub, vor allem ein Auslandsurlaub, bleibt jedoch für viele unerschwinglich. Bei einer Arbeitslosenquote von knapp 18 Prozent ist die Dzialka am besten, weil am billigsten. http://www.stern-verlag.de/id/511399.html?eid=508439

Das Tröstliche an Stereotypen ist, dass sie sich gegenseitig konterkarieren.

Polen sind nicht dumm.

Die Polen sind doch nicht so doof wie die meisten Deutschen denken. http://www.spinnes-board.de/vb/showthread.php?t=53123

Ja, wenn man die anderen in Schutz nimmt, muss man da gleich das eigene Nest beschmutzen? Bringt das Aufklärung?

Die Polen sind doch nicht blöd. http//www.forumdeluxx.de/forum/archive/index.php/t-263592.html

Was unterscheidet deutsche und polnische Unternehmer? Eva Kunze antwortet spontan: Die Polen sind flexibler, fragen schneller an, aber das

Ergebnis ist nicht immer ein Erfolg.
http://www.moz.de/index.php/Moz/Article/category/Uckermark/id/87
640

Auch hier ist die Folie offenkundig. Aber wieder die Frage: Was sollte daran
verblüffend oder erwähnenswert sein? Es ist Stereotypendiskurs, der immer
auf dem Hintergrund der Annahme des Gegenteils geführt wird. Die „dochs"
weisen darauf, dass es gegen die Erwartung ist. **Die Erwartung aber ist ein
hintergründiges Stereotyp.** So zeigt sich, dass wir es doch mit Stereotypen-
trägern, zumindest Kennern zu tun haben. Kommen wir überhaupt raus?

> Die Deutschen wissen nichts über die Polen, und die Polen wissen über die
> Deutschen nur, was sie wissen wollen.
> http://www.ewz. euv-ffo.de/DPDMZ/html_d/i_l_start.html

**Eine Sentenz, rhetorisch gepflegt durch den Parallelismus, macht das
Stereotyp besonders wirkungsvoll.**

Polen sind nett und gastfreundlich.

> Die Polen sind ein freundliches, hilfsbereites Volk. Sie haben Geduld,
> wenn unsereins sich bei der Essensbestellung oder im Buchladen total
> verhaspelt. Ein mildes Lächeln, ein verständnisvolles Nicken und
> man/frau bekommt das Gewünschte. Ich werde jedenfalls so bald wie
> möglich wieder hinfahren!
> http://www.polnischkurse.org/detailr.php?recid=29

Achten Sie darauf, wo das geäußert wurde. **Kurzurlaube, Sprachreisen und
Urlaube überhaupt bringen einen eigenen Typus von Stereotypen hervor.** Einerseits sieht man vielleicht, dass es da anders ist, andererseits generalisiert man das wenige Gesehene und Erlebte. So schafft und vermittelt man ein
neues Bild – Bildung per Kurzurlaub.

Überhaupt sind die Polen sehr freundlich und offen, man kann gut Kontakte knüpfen.
http//www2.uni-paderborn.de/~aaa/website_aus_de/downloads/
Erfahrungsberichte/Europa/Breslau%20WS05%2006. doc

Die Polen sind liebe Menschen. Natürlich haben sie eine Mentalität, die sich sehr von unserer unterscheidet. Das heißt aber nicht, dass sie schlechter oder besser sind. Sie sind halt anders.
http://www.ruhr.de/home/koch/Nikas/lpg.htm

Ja, das wäre eine Haltung, wenn sie durchgehalten wird.
Mit *überhaupt* wird ein Fazit bekräftigt. Mit *halt*, das viele für resignativ erklären, wird vermittelt, dass wir das hinnehmen sollten: Es ist halt so. Aber steckt darin nicht etwas Kritisches? Auch im folgenden wieder die typische Partikel *doch*. Einerseits gegen die Erwartung, andererseits die Erwartung bestätigt.

Die Polen sind doch nett.
http://diskussion.cdu.de/forum/thema4/ovr/ilegv5lFx.ovr

Die folgenden rufen uns die rhetorischen Mittel der Stereotypenformulierungen ins Gedächtnis: dick auftragen mit steigernden Ausdrücken (*sehr, enorm, total*) und rhetorisch aufgepeppt in steigernden Reihungen.

Die Polen sind offene und freundliche Menschen.
http//www.iaeste-muenchen.de/uploads/media/Bericht_Polen_Dietmar_
2005.pdf

Die Polen sind unheimlich nett, umgänglich und enorm gastfreundlich!
http://www.goethe. flensburg.de/public/partner/pl.shtml

Die Polen sind total freundlich und sehr hilfsbereit.
http://www.snowpage.de/baseportal/sp/meinungen?resort=5&cmd=all

Die Polen sind sehr freundlich und engagiert, wenn man sie um Hilfe bittet. Vereinzelt trifft man Leute, die Deutsch oder Englisch sprechen. Meistens kommt man aber nicht umher, einen polnischen Sprachführer zu benutzen.
http://www.radwahn.de/pl.htm

Die Polen sind freundlich, sprechen allerdings kaum Englisch und Deutsch.
http://www.storyal.de/story1996/polen.htm

Die Polen sind sehr kontaktfreudig, unkompliziert, aufgeschlossen und tiefsinnig. Ausserdem muss ich mal feststellen, dass hier sehr viele huebsche Maedchen.
http//www.ridersnetwork.org/main.php?category=1&subcategory=25&content=28

All dies beruht wohl auf Reisetätigkeit und persönlichem Erleben. Ist es darum gesicherter? Oder scheint nur ein Vorurteil ausgeräumt?

Ich wurde nicht überfallen, ganz im Gegenteil, die Polen sind ein nettes und gastfreundliches Volk. Sicherlich gibt es Landstriche in Polen, wo sehr viele Autos verschwinden, jedoch liegen diese meistens in der Nähe der östlichen Grenzen (Ukraine usw.) und diese Fahrzeuge tauchen dann auch in Polen nicht mehr auf.
http://www.dooyoo.de/reiseziele-international/polen-1/1015615/

Stereotypenträger – wie wir alle – wissen sehr viel – glauben sie. Könnten wir damit auch vorsichtiger sein?

Polen sind lustig.

polen sind schon lustig
http://www.rollingstone.de/forum/archive/index.php/t-7895-p-4.html

Wieder so eine Partikel. Eine Bestätigung? Oder eher: „Das hätte ich nicht gedacht." Und im folgenden das *eben*? „Das hättest du nicht gedacht?"

Sind eben ein lustiges Völkchen die Polen
http//www.20six.de/aspera/archive/2005/11/09/58cwhu03vdpt.htm

... die Polen sehr lustig und nett sind. Die Polen sind auch sicher humorvoll und stressfrei.
http://ejournal.eduprojects.net/lip7/index.php?action%5B%5D=IArticle Show::showArticle('6734')

Wenn man das Ganze etwas verniedlicht, klingt es gleich viel netter. Eine pädagogische Maßnahme? Man kann es auch als diskriminierend lesen.

Trotz des Gerüchts eines „eisigen" Landes, ist das polnische Volk sehr gastfreundlich. Die Leute versuchen zu helfen (noch vergeblich) und die, die Englisch sprechen, sind sehr sympatisch mit den Touristen.
http://www.cronicasdalilian.com.br/cronica_lilian_30_ger.htm

Genauso hab ich es auch gemacht – die Polen sind sehr freundliche Menschen und die Geschäfte mit ihnen sind sehr unkompliziert – gewisse Regeln sollte man jedoch einhalten. Kompliziert machen es erst kompliziert denkende Deutsche mit ihrer Vollkaskomentalität...
http://forum.yacht.de/showthread.php?t=82210&page=2

Selbstkritik zu gewinnen aus der Kenntnis anderer kann so schlecht nicht sein. Auch wenn die Erkenntnis wieder nur ein Stereotyp ist? Wenn Sie als Deutsche ein Stereotyp über Deutsche äußern, nehmen Sie sich da immer aus?

Die Polen sind sehr gastfreundlich. Ich empfand, dass einiges etwas bürokratischer war als in Deutschland. Dafür war das Essen sehr gut.
http://www.uni-kl.de/AG-Leopold/ausland/krakau_konkol.htm

Ein Sandwich mit guten und weniger guten Einlagen. **Gemischte Erfahrungen sind irgendwie tröstlich. Sie wirken realer auf uns.**

Polen sind gut organisiert.

Bundesweit sind die Polen sehr gut organisiert.
http://www.wdr5.de/funkhauseuropa/dossiers/detail.phtml?dossier_153

Allgemein sind die Polen echt gut organisiert.
http://www.williwilliwilli.de/blog/?m=200507

Sehr gut, wenn die anderen ein bisschen sind wie wir. Das wird auch dadurch nicht getrübt, dass sie natürlich noch nicht ganz so weit sind.

Die Hilfsangebote musste ich jedoch auch des Öfteren annehmen, da die Polen ein eher mäßiges Organisationstalent haben.
http//www.fh-stralsund.de/.../powerslave,id,2952,nodeid,282.html?PHPS ESSID=d7a4cac6228f847689f9b19a68a7f5ef

Polen sind gläubige Christen.

Tiefgläubig sind die Polen, ohne die zahlreichen Kirchen sind die Dörfer nicht vorstellbar.
http://www.urlaub-anbieter.com/Erlebniscamp-Nordland-10.htm

Die Polen sind bekanntlich überwiegend katholisch und praktizieren auch ihren Glauben.
http://www.heise.de/tp/r4/artikel/23/23059/1.html

Mit *bekanntlich* fischt man Gleichgesinnte. Das ist bekanntlich eine wichtige Funktion von Stereotypen. Ähnlich das festigende *wirklich*.

Die Polen sind wirklich absolute Papstfans.
http//www.assoziations-blaster.de/info/Papst.html

Zum einen sind die Polen sehr viel gläubiger als die Deutschen.
http://www.planet-wissen.de/pw/ArtikelD4CD4ECAA54BD0C4E030D
B95FBC355DD .html

Und die Polen sind stolz, dass einer der ihren Papst ist. Johannes Paul II.
genießt uneingeschränkte Sympathie.
http://www.stern.de/politik/panorama/506708.html

Unser Papst Benedikt ist bei den Polen hoch angesehen und die Polen
konnten sich über die Trauer um Johannes Paul II etwas hinwegtrösten.
http://abelard36.blog.de/?tag=Holocaust

Und die Polen sind neidisch auf unseren Papst.
http://www.kolumnen.de/schrahe-220506.html

... sind die Polen dennoch überzeugt, trotz aller Zuneigung zum Nachfol-
ger: Es gibt keinen besseren als Johannes Paul.
http://www.glaubeaktuell.net/portal/journal/journal.php?IDD=
1144207266

Auch die Päpste kann man konkurrenziell gegeneinander ausspielen: eurer und
unsrer.

Polen trinken viel.

Die Polen trinken viel. Das stimmt schon. In meinem Wohnheim war es
da noch recht ruhig – nur ein, zwei, drei Mal pro Woche gab es eine Party.
In anderen war das täglich der Fall.
http://www.kathrinwelzel.de/polen/t05.html

Aber die Polen sind doch im saufen sowieso geübter als wir prüden Mit-
teleuropäer.
http://tritratrullala.blogspot.com/2006_05_01_tritratrullala_archive.html

Warum die Polen dauernd besoffen sind: DER VODKA IST SOOOOOO GUT!
Und auch das Bier da, da ist unseres Nichts dagegen.
http://www.ch-gefaehrten.ch/phpbb/viewtopic.php?p=3765&sid=469c7
7ca2d439b1deee796efa6c9035f

Ja, wenn man schon mal ein Stereotyp überwindet, dann gleich richtig. Vielleicht müssen auch Stereotypisierer nicht so zu sein, dass sie nicht sehen und glauben könnten, bei den anderen sei irgendwas besser.

Im Verhältnis Polen – Deutsche kann man den Eindruck gewinnen, dass Kennenlernen doch hilft für die Überwindung von Stereotypen, zumindest, dass es möglich ist, negative Stereotype zu überwinden und durch positive zu ersetzen – wenn man so differenzieren will und kann. Dies scheint sogar möglich für Nationen, die selbst ein recht gemischtes, nicht gerade positives Bild von uns haben und damit vielleicht eher Retourkutschen erzeugen könnten. Auf jeden Fall sind die vielen Funde, die Überraschung und Erstaunen ausdrücken, bemerkenswert.

Fazit

Stereotypen zeigen gewisse formale Strukturen, nicht nur die Generalisierung, auch rhetorische und stilistische Eigenheiten, von knackig bis lustig. Im Stereo-Talk erlaubt man sich viel. Alles wird nicht so genau genommen. Auch nicht so ernst?

Ein Stereotyp ist nicht eindeutig an eine Formulierung gebunden und unsere Formulierungen müssen darum auch nicht exakt in dieser Form in den Funden auftauchen. Es können bestimmte Aspekte betont oder herausgegriffen sein, es mag stilistische Varianten und Pointierungen geben. Um einen Kern können sich periphere Aspekte lagern und ein Stereotyp mag in einem Netz oder Nest mit anderen stehen.

Leider geben sich Stereotype nicht so leicht zu erkennen. Je objektivistischer und seriöser sie daherkommen, umso mehr sind wir vielleicht geneigt, sie für bare Münze zu nehmen. Vor allem dann, wenn sie eine Lücke in unserem

Weltbild füllen. Keiner weiß, wo die Grenze zwischen Faktum und Stereotyp verläuft, auch wenn man uns was Anderes weis machen will.

Kommunikativ interessant ist, dass sie oft gehedgt und relativiert werden, vielleicht um sich sauber zu halten oder rein zu waschen. Doch gerade das macht sie vielleicht widerstandsfähiger. Darum ist Relativierung vielleicht kein guter Ratschlag zur Stereotypenvermeidung. Ebenso wenig ist die Erkenntnis ein Heilmittel, dass etwas vom Hörensagen ist. Fast alle Stereotypen sind vom Hörensagen.

Inhaltlich haben wir im Verhältnis Polen – Deutsche drei liefernde Bereiche: die gemeinsame Kriegsgeschichte, die mehr die Polen interessiert, und die neueren Erfahrungen mit den polnischen Arbeitern, die auf deutscher Seite vorwiegt. Aber sie können auch öfter auf dem impliziten Hintergrund der Nazi-Ideologie gelesen werden. Und dann noch die Erfahrungen Deutscher, die durch Polen gereist sind. Sie konterkarieren meist alte Stereotypen.

Sind Nationalstereotype zweier Völker oder Nationen aufeinander bezogen? Gibt es zu einem Stereotyp ein Gegenstereotyp auf der anderen Seite? In manchen Bereichen gibt es das, sogar als Spiegelstereotyp: „Die Polen sind flexibel" vs. „Die Deutschen sind starr." Wenn das Verhältnis aber historisch so belastet ist wie hier, dann geht das in diesem Bereich eher nicht. Ginge etwa: „Die Deutschen sind Mörder" gegen deutsch „Die Polen sind Opfer"? Kaum vorstellbar. Stereotypen sind auch Teil des gesamtgesellschaftlichen Diskurses. Er tritt regulativ auf. Nicht jeder Witz wird aus der Subkultur in die Öffentlichkeit vorgelassen. Genügend Stereotype werden nur hinter vorgehaltener Hand rausgelassen. Relativierungen zeigen oft den Eiertanz zwischen Enttabuisierung und Bindung an Regulative wie political und historical correctness.

2. Was dem einen sein Wodka, ist dem anderen sein ... ?

2.1 Deutsche über Russen

Russen trinken Wodka und sind trinkfest.

Russen trinken Unmengen an Alkohol. Hier sollen die Russen Vodka-Orgien feiern. So richtig heftig soll es schon tagsüber zur Sache gehen, sagen die Deutschen.
http://www.rtl.de/tv/tv_946338.php

Russen sind halt doch alle versoffen.
http://adulto.wordpress.com/2008/01/22/russen-sind-halt-doch-alle-versoffen/

Die Russen sind für ihre Trinkfestigkeit bekannt.
http://www.russlandjournal.de/russian-standard-vodka/russische-trinkgewohnheiten/

Mit diesen drei Funden wird wohl auf das Gleiche angespielt. Mal wird offen und übertrieben auf das Stereotyp Bezug genommen, mal recht brutal, mal eher verdeckt und vielleicht sympathisch. Wie gehen wir mit den stilistischen Eigenheiten der Formulierung um? Naheliegend: Wir schreiben sie den Formulierern gut – oder schlecht. Aber öfter sollten wir erkennen, dass es ein Habitus, eine Eigenstilisierung sein kann. Denn alles ist Stil. Je deftiger die Formulierung, desto mehr Distanz zeigt sie vielleicht. Und je geschleckter, umso eher übernehmen wir das Stereotyp.
Im Stereotypendiskurs ist allen Beteiligten bewusst, dass man so richtig vom Leder ziehen kann. Gerade in der Übertreibung liegt der Reiz dieser Diskussion. Darin sind sich die Beteiligten einig. Aber wenn sie das wissen, wo sehen sie den Realitätsgehalt? Sehen alle unterschiedliche Körnchen? Unterschiedlich viel? Gibt es eine gemeinsame Basis der Wirklichkeit, die durch Stereotype gebildet wird? Und vor allem: Wie wirken Zurechtrückungen, Gegenstereoty-

pe und Ironisierungen? Eine Grundfrage ist auch: Wie geht der Übertreibende vor? Kennt er schon den Kern und macht ihn durch Addition kommunikativ interessanter? Und wie schält der Adressat den Kern heraus? Kann er einfach wieder subtrahieren, was der Produzent addiert hat? Ein Stück weit könnte der Stereotypendiskurs so funktionieren.

So mancher in Deutschland ist – allen Ernstes – der Überzeugung, in Russland ist es auch im Sommer eiskalt, die Menschen trinken ausschließlich Wodka und auf den Straßen in Moskau oder St. Petersburg laufen Bären frei herum.
http://www.mdz-moskau. eu/print.php?date=1202487959&gid=15

Zur Festigung werden Stereotype durchaus begründet. Oft bilden sie ganze Netze. Eins trägt das andere.
Nicht nur die Trinker, auch die Werbung macht sich das Stereotyp zunutze und stützt es.

Die Russen sind bekannt für ihren Wodka und auch für ihr Geld. Und daher gibt es jetzt den passenden Wodka für viel Geld, den Diva Wodka. Je nachdem, ob sich nur bunte Swarovski-Steine, Goldstückchen oder echte Diamanten darin befinden, kostet ein Fläschchen zwischen 52 Euro und 788. 000 Euro.
http://richtigteuer.de/2007/06/20/eine-flasche-wodka-fur-788000-euro/ #more-173

Alle Türken sind Verbrecher, alle Deutschen sind xenophobe Nazis, alle Polen klauen Autos, alle Russen sind Alkoholiker, alle Inder leben in Slums, alle Westler sind Imperialisten, alle Briten haben eine steife Oberlippe, alle Blonden sind doof und alle Dicken sind faul.
http://www.stern.de/blog/50_von_der_lust_ein_tuerke_zu_sein/archive/ 1483_ich_bin_tuerke_und_mir_reichts.html

Zur Stützung ist nun alles Mögliche willkommen.

Schon jetzt aber ist mit offiziell 8 Millionen die Arbeitslosenquote, insbesondere von Jugendlichen, sehr hoch, und daran, dass abends in den Metrostationen sechzig Prozent der Männer alkoholisiert sind, gewöhnt man sich schnell.
http://parapluie.de/archiv/zeitenwenden/russland/

Russen sind gastfreundlich.

Was mir in Russland besonders beeindruckend in Erinnerung geblieben ist, ist die Gastfreundschaft der Russen. Es ist ein enormer Unterschied zwischen der deutschen und der russischen Selbstverständlichkeit, einen Gast bestmöglichst zu bewirten. So kam es, dass wir in gemütlichen Doppelbetten schliefen, während Babuschka und Deduschka auf einfachen Matratzen oder ausklappbaren Sofas geschlafen haben, zum Teil auch in der Küche!
http://www.mitte.waldorf.net/site/austausch.html

Und da Gastfreundschaft bekanntlich vorwiegend durch den Magen geht, wird eben auch darauf hingewiesen, dass es in Russland ein Zeichen guter Gastfreundschaft ist, seinen Gast zu mästen:
Wenn Deutsche Gäste einladen, bemessen sie das Essen nach der Anzahl der erwarteten Gäste. Wenn Russen zu Tisch bitten, tafeln sie auf, was Küche und Keller hergeben. Meistens ist das viel zu viel und bleibt dann jede Menge übrig.
http://www.uwekarl.de/04971e9a730077b15/04971e9a7011d8e0c/
index.php

Die russische Gastfreundschaft, die reiche Bewirtung und ein mit Speisen voll beladener Tisch gehören jedoch nach wie vor zu den typischen Vorzügen des russischen Volkes. Die Großzügigkeit und Gutherzigkeit der russischen Seele haben so manchen Deutschen in Erstaunen und Begeisterung versetzt.
http://www.die-auswaertige-presse.de/html/russische_familie.html

Vergleiche füttern den Stereo-Talk. Hier wir – da die Russen, hier die Deutschen – da die anderen. Kommen darin dann auch Autostereotype zum Vorschein? Geht der Begeisterte davon aus, dass die Deutschen nicht gastfreundlich sind, nimmt er als default, wie es – nach seiner Meinung – in Deutschland hergeht? Ein Tropfen Wermut schadet dann aber auch nicht. Denn einmal führt die Gastfreundschaft zu Verschwendung und sie wird schon mal penetrant und einengend. Das klingt ja sehr realistisch.

Die unermessliche und ehrlich gemeinte russische Gastfreundschaft, die diejenige im Westen oft übertrifft, macht dies jedoch schnell vergessen. Im ersten Kontakt mit Fremden sind Russen oft zurückhaltend oder gar schüchtern. Kennt man sich aber nur ein Stückchen besser, entfaltet sich ihre Gastfreundschaft von seiner großzügigsten Seite.
http://www.x-russ.com/russland/typisch/gastfreundschaft

„**Kuck mal, ich war da.** Ich hab besonders Ahnung. " Das ist oft der Boden der Mitteilung. Vielleicht auch: „Ich hab früher auch den Mist geglaubt. Jetzt weiß ich es besser und möchte es dir mitteilen, will dich belehren und von Vorurteilen heilen. Ich bin ein selbstloser Aufklärer. " Auch wissend und gelehrt kommen Stereotypen daher.
Ausschnitt aus dem Buch: „Kulturschock Russland" von Barbara Löwe
Wenn Russen einen ausländischen Gast beherbergen, betreuen sie ihn sehr intensiv und gleichsam rund um die Uhr. Offenbar ist er in ihren Augen ein unselbstständiges Wesen, das allein keinen Schritt tun, keine Entscheidung treffen, keinen Ausflug machen kann. Vor allem muss er genügend essen und trinken, sich warm genug anziehen und in das richtige Verkehrsmittel steigen. Und möchte er einmal ein paar Minuten allein sein, sich (falls vorhanden) in sein Zimmer zurückziehen, taucht sofort der Verdacht auf, er könnte sich dort einsam fühlen.
http://www.russlandjournal.de/russland/buecher-ueber-russland/
kulturschock-russland/

Russen feiern gern.

Hier kann man sehen, wie ein Kernstereotyp angereichert wird: Fürs Feiern sind Geld und Arbeit nebensächlich, feiern kann man auch ohne Kaviar. Dafür ist einem nichts zu schade.

Nun stehen das alte Neujahrsfest und der „Tag der Mitarbeiter der Staatsanwaltschaft" vor der Tür. Beides sind zwar keine arbeitsfreien Tage, aber in Russland dennoch ein Grund zu feiern und das Leben von der geruhsameren Seite anzugehen.
Die Russen feiern eben gern und ausgiebig.
http://www.dw-world.de/dw/article/0,4215,1088194,00.html

In Russland wird gerne gefeiert – egal ob es sich um ein Schulabschluss, Hochzeit oder Umzug handelt, werden Tische reichlich gedeckt. Das heißt nicht, dass alle Russen reich sind und täglich Kaviar essen; die Leute sind einfach offenherzig und gastfreundlich und es wird das vorletzte Rubel ausgegeben, um liebe Gäste zu bewirten.
http://www.russian-online.net/de_start/advanced/wortschatz/woerter.php?auswahl=einladen

Stereotypen haben viele Quellen der Entstehung und der Verbreitung. Was halten Sie von dieser?

Wenn Russen feiern, geht es ihnen vor allem darum, Spaß zu haben – Geld ist da nebensächlich, sagt ein Türsteher der A-Lounge in Mitte, in der jeden Samstag russische Partys steigen.
http://www.tagesspiegel.de/berlin/;art270,1904960

Gewährsleute sind nicht schlecht. Vor allem für Stereotypensammler!

Russen sind gefühlsbetont und großzügig.

Die Russen gelten als trinkfest, gastfreundlich, gefühlsbetont und großzügig.
http://www.mdz-moskau. eu/print.php?date=1202487959

Die Russen sind hilfsbereit und großzügig. Sie pflegen eine ehrliche Gastfreundschaft, die ich kaum irgendwo sonst angetroffen habe. Sie sind sehr direkt.
http://x-russ.com/uber_uns/medien/

Ein Adjektiv allein genügt oft nicht. **Stereotype kommen in Pärchen daher: nett und freundlich, dumm und dick.** Auch in ganzen Reihungen. Aber sie müssen auch zusammenpassen.

Die Deutschen: pragmatisch, vorsichtig, sparsam. Und schließlich die Russen: Sie sind selbstvergessen, großzügig, eben russisch.
Ich finde es schön, wenn ein Mann einer Frau Diamantenringe schenkt, um ihr zu beweisen: So viel bist du mir wert!
http://www.taz.de/index.php?id=archivseite&dig=2001/04/28/a0208

Schreibt das ein Mann oder eine Frau? Stereotype können sich auch deshalb gut halten, weil die Träger sie genießen.

Kleinlichkeitsdenken und egoistisches Verhalten sind dem russischen Nationalcharakter fremd. Im Positiven drückt sich die russische Großzügigkeit u. a. in großer Offenheit und Toleranz gegenüber Ausländern aus.
http://www.e-interculture.de/?id=russland_menschen

Nirgendwo auf der Welt habe ich liebere gastfreundlichere Menschen getroffen als in Russland. Ein Land mit hoher Genialität und Kultur.
http://de.answers.yahoo.com/question/index?qid=20080210143010AAb FG0m

Wir fragen immer und wir sollten uns selbst fragen: Woher weißt du das? Wo auf der Welt könnte der Schreiber gewesen sein? Aber gegen Begeisterung ist erst mal nichts einzuwenden. Vor allem, wenn man mit der möglichen Enttäuschung zurechtkommt.

Wichtig gilt immer – und das scheint allgemeiner Konsens – **die eigene Anschauung.** Wenn man selbst da war, selbst gesehen hat oder gar da gelebt hat, dann relativiert man seine Vorurteile – so die verbreitete Hoffnung. Aber wie viel hat man da gesehen? Durch welche Brille? Und wie hat man's verarbeitet? **Eigene Erfahrung schützt vor Stereotypisierung nicht.**

Russen leben in Armut und sozialer Ungleichheit.

Die Armut, der man auch hier auf dem Land allenthalben begegnet, hängt auch eng mit dem weit verbreiteten Alkoholismus zusammen, wie man an den weggeworfenen Wodkaflaschen im Wald und am Straßenrand sehen kann.

Die Menschen schämen sich ihrer Armut – wenn man zu Besuch ist, entschuldigen sie sich stets für die ärmlichen Umstände: „Wot, tak my russkie shiwjom. " [Ja, so leben halt wir Russen].

http://parapluie.de/archiv/zeitenwenden/russland/

Nicht immer ist die Logik der Stereotypen so wenig stringent wie hier. Auf jeden Fall scheint der Schluss von den Wodkaflaschen auf die Armut etwas kühn. Mit zwei Stereotypen scheinen solche Schlüsse es aber zu laufen.

Eine kurze Zusammenstellung der sozialen Lage im modernen Russland zeichnet das Bild einer zutiefst gespaltenen Gesellschaft. Im Grunde handelt es sich um zwei verschiedene Welten, die kaum miteinander in Berührung kommen. In der einen – der Welt des Reichtums und des Luxus – lebt eine unbedeutende Minderheit. Der anderen – der Welt des sozialen Abstiegs und des schweren Kampfes um das Notwendige – gehören zig Millionen an.

http://www.wsws.org/de/2005/feb2005/russ-f05.shtml

Auch objektivistisch daher kommende Stereotype sollen uns Information liefern. Die Frage ist nur welche. Was schließen wir hieraus?

Obdachlose, vernachlässigte und arbeitende Kinder gehören heute fest zum Straßenbild der großen russischen Städte. Jedes Jahr fliehen über 30. 000 Kinder in Russland aus ihren Familien auf die Straße. Armut und Arbeitslosigkeit haben seit dem Zusammenbruch der Sowjetunion zugenommen. In vielen Familien sind Alkoholismus und Gewalt an der Tagesordnung – oft sehen die Kinder keinen anderen Ausweg als auszureißen. Auf der Straße waschen sie Autos, verkaufen gestohlene Ware oder prostituieren sich. Viele sind krank und drogenabhängig.
http://www.unicef.de/169.html

An manche Stereotype wagt man sich mental gar nicht ran. Schwere Schicksale anzuzweifeln ist doch pfui. Wenn dann noch zwischen den Armen und den Reichen schön getrennt wird, wenn die Armen die Opfer sind, ist es dann nicht hoch plausibel die Reichen zu inkriminieren? Mit Opfern muss man sich solidarisieren. Selbst das korrekte UNICEF arbeitet mit diffusem *viele*. **Politisch und moralisch korrekt. So pflanzt sich das Stereotyp gut ein.**

Noch schlechter geht es den zahlreichen Bettlern, die ebenfalls an fast jeder Ecke anzutreffen sind. Zumeist handelt es sich um alte Frauen, deren Renten zu klein sind, um davon leben zu können. In Lumpen gekleidet flehen sie um ein Almosen.
http://www.km. bayern.de/blz/eup/01_06/3.asp

Woher kennt der Schreiber den Zusammenhang? Kann er ihn sehen? Kann man jemandem ansehen, dass sie Rentnerin ist und dass ihre Rente zu klein ist? Gegen empathische Sozialphantasien lässt sich scher etwas sagen. So ein Stereotyp wird fast immun.

Russen sind kriminell, von Korruption und der Mafia beherrscht.

Mit Witzen stellt man sich selbst dar. Man ist der winner, man hat die Lacher auf seiner Seite.

Warum klauen Russen immer zwei Autos, wenn sie nach Russland wollen? Sie müssen durch Polen fahren!
http://www.linkfun.net/witze/Laender-Witze/Warum_klauen_Russen_immer_zwei_Autos_wenn_sie_nach-12097

Da kriegen gleich zwei ihr Fett ab.

Allerdings wurden meinen Onkels in Polen drei Autos geklaut (zwei Mercedes und ein Audi), zweimal waren es Russen (sie wurden erwischt) und bei dem anderen mal weiß man es nicht, weil niemand gefasst wurde.
http://forum.politik.de/forum/archive/index.php/t-136241.html

Auch gute Geschichten lassen sich bestens verkaufen. Stereotype bauen nicht auf kriminalistische Recherche.

Man kann von Russen in Polen neben gestohlenen Autos auch jede Menge anderer „Heiße Ware" kaufen, also würde ich mich mit solchem Schwachsinn an eurer stelle mal schön zurückhalten.
http://forum.politik.de/forum/archive/index.php/t-136241.html

Ich bin mit dem Zug und dem Auto privat in Russland gewesen und habe nichts Schlimmes erlebt und sogar das Auto wieder ganz und mit allen Teilen nach Hause gebracht.
http://www.russian-online.net/fragen/current_message.php?id=1867&P
HPSESSID=
98d7450d3a0d20ce85a69c300527

Ja, auch hier könnte man schließen nach dem Muster: **Einmal ist keinmal.**

Wer es selbst erlebt hat, stellt sich dar als jemand, der es besser weiß.
Würden Sie sich trauen, dagegen was zu sagen?

> St. Petersburg? Was willst du denn ausgerechnet in Russland??? – das waren nicht selten die Kommentare der Mitmenschen, denen ich von meiner geplanten Reise erzählte. Mafia, kriminell, Armut – das verbinden offensichtlich die Meisten mit dieser Stadt.
> http://www.koenigstigerin.de/spb/spb.htmb

> In Russland hat die Mafia alles im Griff.
> http://rcswww.urz.tu-dresden.de/~goessing/stereotypen.htm

> Korruption in Russland: Ohne einen guten Draht zu den Behörden läuft oft nichts. Die Angst, selbst Opfer mafiöser Machenschaften werden zu können, hält viele in Russland aktive Unternehmen von allzu lauter Kritik ab. Doch das Problem ist allen bewusst. Man trifft leider noch sehr oft Leute, die in die eigene Tasche wirtschaften, sei es bei der Visabeschaffung, bei der Arbeitserlaubnis oder ganz einfach im Straßenverkehr.
> http://www.handelsblatt.com/unternehmen/aussenwirtschaft/
> korruption-gehoert-zum-alltag-in-russland;1135916

Auch wenn es in der Zeitung steht: Stereotyp bleibt Stereotyp. Überhaupt: Der sachliche Stil sollte uns nicht täuschen. Stil hebt nicht den Wahrheitsgehalt, wenngleich Stereotypisierer und Proselyten uns das glauben machen wollen.

> Russland: Korruption dominiert den Alltag
> Korruption heißt das Übel, dass sich durch alle Bereiche der russischen Gesellschaft zieht. 33, 5 Milliarden Dollar, ein Zehntel des Bruttoinlandsprodukts werden in Russland jedes Jahr in sogenannte Wsjatki, Bestechungsgelder gesteckt. Damit gehört Russland zu dem bestechlichsten Drittel aller Industrienationen. Die ganz großen Summen werden dabei in Politik und Wirtschaft verschoben.
> http://www.kaukasuskinder.org/korruptionimalltag.htm

Aber auch die Bürger tragen im täglichen Kampf auf Behörden und Ämtern zur Kultur des Handaufhaltens bei. Wenn sie die Wahl haben zwischen einem endlosen Hürdenlauf durch die russische Bürokratie oder einer schnellen und unkomplizierten Lösung eines Problems, entscheiden auch sie sich im Zweifel für die Schmiergeldzahlung.
http://www.kaukasuskinder.org/korruptionimalltag.htm

Korrupte Systeme werden weltweit gesehen. Hier werden wenigstens Motive vermutet, die zeigen, dass die Systeme funktionieren. Solche Systeme von unseren Idealen (!) her zu verstehen, braucht viel Verstehensarbeit. Oder doch nicht?

Deutsche über Russen

2.2 Russen über Deutsche

Hier hat jemand die Meinung der Russen schön zusammengefasst als Porträt der Deutschen! Man traut sich nicht nur zu, über die anderen Bescheid zu wissen, nein man weiß auch, was die eigenen Landsleute über die anderen denken. Da steht dann Positives und Negatives traut beieinander. Stereotype über Stereotype!

Nach Meinung der russischen Bürger lieben die Deutschen Ordnung und befolgen das Gesetz, sie sind sparsam, fleißig, pedantisch und unternehmerisch. Des Weiteren denken die Russen, dass den Deutschen solche Eigenschaften wie Uneigennützigkeit, geistige Werte, die Nachgiebigkeit, Achtung vor anderen und Hilfsbereitschaft fehlen.
http://news. aif.ru/news.php?id=5999&forprint=1

Eine gängige Form, Stereotypen zu formulieren, ist die Aufzählung von Eigenschaften.

Russen über Deutsche

Deutsche lieben die Ordnung und Pünktlichkeit.

Keine andere Phrase wärmt das Herz eines Deutschen so sehr wie folgende: „Alles in Ordnung". Und der kategorische Imperativ, der von jedem Deutschen hoch gehalten wird, klingt so: „Ordnung muss sein".
http://www.langust.ru/review/xenogera.shtml#top

Grob spricht man von positiven und negativen Stereotypen. Auch in diesem Diskurs zeigt sich, dass es so einfach nicht gesehen wird und so einfach nicht ist. Wenn von Vorteilen und Nachteilen gesprochen wird, kann man das noch abbilden auf negative und positive Stereotypen. . Aber positive können auch von negativen infiziert werden.

Das Streben nach geregeltem Ablauf durchdringt alle Bereiche des deutschen Lebens, es ist zugleich die Quelle der typischen nationalen Vor- und Nachteile.
http://www.vokrugsveta.ru/vs/article/587/

Die Deutschen sind gesetzestreu. Ordnung über allem. Sie denken, dass die Befolgung von Regeln erste Pflicht ist. Sie versuchen, die Regeln nicht zu verletzen, besonders solche nicht, die das Leben erschweren könnten. Alles, was nicht erlaubt ist, ist verboten.
http://www.weltreport.de/germany/2006/02/28/deutsche_traditionen/

Das grenzt schon an Tiefsinn.
Wie ist das Folgende gemeint? Positiv oder negativ? Es zeigt zugleich **ein beliebtes Stereotypenmuster: Ein verallgemeinertes Stereotyp belegt durch ein spezielleres Beispiel.**

Пунктуальность и порядок во всем – одна из самых характерных черт немецкого народа, ставшая давно притчей во языцех. С раннего детства немцам внушается простая истина: „Опаздывать нельзя". В Германии никто не станет вас ждать даже 5 минут, не говоря уж о

»джентльменских» пятнадцати, привычных для нас. Пунктуальность и правильность соблюдается абсолютно во всех аспектах жизни.

Pünktlichkeit und Ordnung in allen Bereichen – das ist eine der auffälligsten deutschen Charaktereigenschaften. Schon in der Kindheit wird einem die einfache Wahrheit suggeriert: „Man kommt nicht zu spät". Kein Deutscher würde auf die Idee kommen, auf jemanden 5 Minuten zu warten, geschweige denn eine Viertelstunde – das, was eben beim russischen Volk zum guten Ton gehört. Pünktlichkeit und korrektes Verhalten werden in allen Lebenslagen berücksichtigt.
http://subscribe.ru/digest/travel/foreign/n77215391.html

Wir fragen uns: Wieso ist das so auffällig für Russen? Bemerkenswert ist eine gewisse Ambivalenz. Man nennt einerseits eine Eigenschaft, die man als positiv ansehen könnte, schreibt sie dann aber übertrieben zu, so dass sie doch ins Kritische abgleitet.

Pünktlichkeit ist von großer Bedeutung, obwohl die Verspätung von einer Viertelstunde noch als „annehmbar" gilt.
http://www.loversplanet.ru/date-germany.php

Die Deutschen sind sehr akkurat, pünktlich, ordnungsliebend. Aber, zu meinem Erstaunen, gehen sie mit den eigenen Sachen ziemlich lässig um, Sachen werden in der gesamten Wohnung rumgeschmissen. Wenn du dem Menschen viel Raum im Haus gibst, erlaubst du ihm wahrscheinlich, sich darin so zu verhalten, wie er will. Ich habe mich mit dieser Unordnung abgefunden.
http://pressa. irk.ru/kopeika/2006/26/014002.html

Ganz persönlich. Man kennt das Stereotyp „ordnungsliebend" und stößt auf Chaos im privaten Raum. Gerät die Stereotypenwelt damit aus den Fugen? Nein, es gibt stereotype Erklärungen oder hier zumindest stereotype Spekulation. Das festigt. Wo war die Generalisierung?

Die Deutschen versuchen, keine Regel zu verletzen, sogar diejenigen, die ihr eigenes Leben erschweren, alles was nicht erlaubt ist – ist verboten. Wenn das Rauchen oder Laufen auf dem Rasen erlaubt ist, dann wird es ausgeschildert.
http://www.langust.ru/review/xenoger2.shtml

Im Netz bewegen sich Stereotypen-Multiplikatoren. So ist typisch für Stereotypen: **Einer übernimmt sie vom andern.** Wenigstens die Formulierung. Das ist übrigens nicht netzspezifisch. In unserer Presse haben Sie das gleiche Phänomen. Die entscheidende Frage ist: **Wie viel Wiederholungen machen die Wahrheit?** Dazu sollten wir nicht vorderhand ans Schreiben denken. Entscheidend ist, wie oft es gelesen wird.

Deutsche sind freundlich und höflich.

Deutschland war uns gegenüber sehr gastfreundlich, daran erinnert man sich sein Leben lang. Die Menschen sind eben sehr freundlich und höflich. Grundsätzlich besitzen sie eine außergewöhnliche Höflichkeit. Laut in der Öffentlichkeit zu sprechen gilt als unanständig. Es gibt nämlich gewisse Normen des Benehmens.
http://travel.presscom.org/whois/2012.html

Das ist eine andere Art der Generalisierung. Das Land wird vermenschlicht und handelt wie die Menschen. Gibt das eigene Land die Folie her, wo es diese Normen nicht gibt? Positive Stereotype über andere lesen sich oft wie Appelle an die eigenen.

In Kaufhäusern werden Kunden immer höflich mit „Bitte, kann ich ihnen behilflich sein?" begrüßt. Wenn man nichts Konkretes sucht, antwortet man eben „nur gucken, ich schau nur, danke", natürlich mit einem Lächeln.
http://www.alpha-tur.ru/?id=german

Die Schreiberin (?) ist wohl länger in Deutschland gewesen. Denn in einer solchen Situation lächeln, das ist angeblich in Russland nicht üblich. Auffälligkeiten können Anlass für Adaptation sein.

Höflichkeit ist in Deutschland so üblich und selbstverständlich wie in Russland Unverschämtheit.
http://www.list. krasdin.ru/writers/uspensk/s03.shtml

Wenn man schon vergleicht, kann man auch ganz offen bei den anderen Positives sehen und das Negative bei sich selbst. Aber die von Russen empfundene Freundlichkeit kann auch als Hypokrisie verstanden werden. **Man kann die Stereotype zur Kritik an der eigenen Kultur nutzen** – vor allem wenn man die ordentlich stereotypisiert.

Sparsame und berechnende Deutsche sind zugleich auch für ihre große Hilfsbereitschaft bekannt. Mehrere wohltätige Organisationen haben auf die Tragödie in Beslan mit großem Mitgefühl reagiert und großzügige Spenden organisiert.
http://www.trud.ru/issue/article.php?id=200412112360102

Wie passt das zusammen? Wie wird ein Stereotypenträger mit der Inhomogenität fertig? Man könnte ja erwarten, dass irgendeins der Stereotype aus dem Weg geräumt würde.

Deutschland ist eines der gastfreundlichsten Länder bezüglich der Ausbildungsmöglichkeiten für ausländische Studierende. Es gibt so viele Anreize für den Aufenthalt in Deutschland. Doch davon abgesehen: Es lohnt sich, neben Englisch, Deutsch als eine zweite Fremdsprache zu lernen.
http://www.researcher-at.ru/index.php?option=content&task=view&id =65

Die Einheimischen waren in jeder Stadt außerordentlich gastfreundlich und offen. Während unseres Aufenthalts in Deutschland haben wir das

Stereotyp der peniblen Ordnung und Korrektheit der Deutschen völlig vergessen.
http://www.hse.ru/temp/2007/05_11-20_socio.shtml

So gemischt wie das Leben können Stereotype sein. Ein Konstrukt wird hier sichtbar, nach dem sich Ordnung und Freundlichkeit eigentlich auszuschließen scheinen. Solche relationalen Netze von Werten und Überzeugungen könnten einen Schwerpunkt interkultureller Forschung bilden.

Sogar wenn Sie angerempelt werden, Ihnen jemand auf den Fuß tritt oder gar einen Blick voller Hass und Verachtung schenkt, Sie als schwachsinnigen, senilen Dackel beschimpft, bleiben die Umgangsformen korrekt, indem man sich „siezt". Etwas anderes wäre für einen Deutschen eine absolute Frechheit.
http://bezmenja.ru/

Bekanntlich ist das deutsche Siezen schwer zu verstehen, schon schwer für Deutsche darzustellen. So kann man sich eine These über die Verwendung des *Sie* bilden (bis in die Grammatik hinein: die Höflichkeitsform), etwa es sei höflich gedacht, und damit ganz übersehen: Es schafft Distanz.
Wenn Sie nun das Folgende lesen, sehen Sie deutlich, dass es kein homogenes Stereotypennetz gibt. **Hier gilt eben nicht: ex contradictio nihil.** Aus einem Widerspruch folgt nichts. Wir können jedoch immer den Schreiber dahinter rekonstruieren.

Mein Mann ist ein Ausländer
Ich kenne die japanische Kultur gut und kann daher die Deutschen und Japaner vergleichen. Japanische Kultur ist der Russischen ziemlich nah, die Auffassungen in puncto Höflichkeit sind sehr ähnlich. Die Deutschen sind das absolute Gegenstück zu Japanern. Dem Deutschen ist es wichtig, dass ihm in jeder Situation bequem ist und was die anderen davon halten und ob sie darunter leiden, ist ihm völlig egal.
Mit meinem Mann habe ich großes Glück gehabt, er ist nicht so wie die

anderen deutschen Männer. So zum Beispiel hat er nach zwei Wochen gelernt, mir die Türe aufzuhalten und den Vortritt zu lassen, mir den Mantel zu reichen und im Restaurant den Stuhl zurechtzurücken.
http://www.kid.ru/forum/txt/index.php/t5087.html

Ja klar, Ausnahmen bestätigen die Regel. Werden umgedeutet mit Jokern. Aber möchten Sie mit der verheiratet sein! Jedes Stereotyp kann auf den Träger zurückfallen, auch ganz persönlich. Übrigens: Russisch und Japanisch verwandt? Haben wir da vorhin nicht etwas über die Direktheit der Russen gelesen?

Deutsche sind ernst, genau und emotionslos.

Die Deutschen gelten als fleißig, zuverlässig, pünktlich und ohne Sinn für Humor.
http://tmn. fio.ru/works/41x/311/06.htm

Dreimal schön positiv – und dann die Pointe. Macht es eigentlich einen Unterschiede, wenn der Schreiber schon zeigt, dass es sich um Kolportage handelt?

Wie wichtig ist es ernst zu sein?
Die Deutschen nehmen das Leben sehr ernst. Außerhalb Berlins gibt es keinen Humor und nichts Lustiges. Wenn Ihnen nach einem Witz zumute ist, dann müssen Sie sich eine schriftliche Genehmigung dafür holen.
http://www.langust.ru/review/xenoger2.shtml

Wenn Sie glauben, dass die anderen so ganz anders sind, etwa dass ihnen ganz elementare Kulturelemente abgehen, dann gehen Sie bitte mit sich selbst zu Rate. Vielleicht verstehen Sie nicht so recht. Vielleicht entgeht Ihnen deren Art von Witz und Humor.

Die Deutschen sind sehr ernsthaft. Außerhalb Berlins wird Humor kaum als witzig verstanden, und wenn sie trotzdem scherzen wollen, dann müssen sie zuerst eine schriftliche Erlaubnis holen.
http://tmn. fio.ru/works/41x/311/06.htm

Haben Sie sowas nicht schon gelesen? **Abschreiben und Wiederholen, so werden Stereotype gefestigt.** Viel Realität oder realen Anlass brauchen Stereotype nicht: Sie schaffen ja Realität. Aber ist es nicht eigentlich unstereotypisch, regional zu differenzieren? Nein, das geht schon immer weiter nach unten. Man muss nur den Kontrastpunkt haben: „die Bayern …“, „die Kölner …“ im Gegensatz zu …

Deutsche sind bekannt für ihre Pedanterie, deswegen ist es bei den Verhandlungen notwendig, sich an die internationalen Normen zu halten. Sie schätzen es, die Fragen nacheinander zu besprechen: Ohne eine zu Ende diskutiert zu haben, werden sie kaum mit anderen anfangen.
http://expomap.ru/article_info.php/articles_id/16/article/mezhnacionaln ye-osobennosti-vedeniya-delovyh-peregovorov-sociokulturnyi-aspekt

Ein schön gemischtes Stereotyp: Man weiß nicht so genau, ist es positiv oder negativ gedacht. Es birgt aber auch eine Handlungsanweisung, wie man mit Deutschen umgehen soll. Solche Anleitungen bieten **Stereotype** häufig. Es **sind eben auch Leitlinien fürs Zusammenleben.**

Man assoziiert deutsche Produkte mit hoher Qualität und Deutsche mit Pedanterie, Fleiß und Sauberkeit.
Das Verhalten des Deutschen in der Gesellschaft ist zurückhaltend. In den Geschäftsbeziehungen ist es wichtig, die Besonderheiten von Ost- und Westdeutschen zu berücksichtigen. Die Geschäftsverhandlungen sollen der deutschen Etikette entsprechen, deren Präzision je nach Firma variiert.
http://www.director.by/cgi-bin/article.cgi?date=2004/11/30&name=22

Alle wissen, dass die Deutschen sehr pünktlich und aufrichtig sind. Auch in der Sprache wird das deutlich: es gibt sehr wenige Ausnahmen, alles baut auf Regeln auf.
http://saechka.ru/forum/index.php?showtopic=885&hl=#entry21066

Kann eine Sprache aufrichtig sein? Vorurteile bezüglich der Struktur von Sprachen sind für Linguisten ein gefundenes Fressen. Vielleicht ist der Glaube an die Regelhaftigkeit ein Relikt des Zweitsprachenlernens. Vielleicht wurde der Lerner mit grammatischen Regeln getriezt und hat nicht bemerkt, dass es so viele Ausnahmen gibt. Für das Russische war ihm ja ein solcher Zugang nicht vergönnt. Auf jeden Fall gilt: **Auf je mehr Lebensbereiche ein stereotyp anwendbar ist, umso überzeugender ist es.**

Die Deutschen werden für geschickt, cool, hochmütig und despotisch gehalten, wobei sie sich als hervorragende Geschäftsleute und Unternehmer bewährt haben.
http://www.langust.ru/:

Ist es eine Vorsichtsmaßnahme, wenn man eigene Stereotype so darstellt, als würden andere oder viele sie glauben? Oder macht es das Stereotyp verlässlicher und haltbarer? Kann man ein Stereotyp in Frage stellen, indem man es übertrieben formuliert? Sind sie nicht immer schon übertrieben formuliert? Im folgenden Päckchen haben wir ein ganzes Porträt!

Deutsche reagieren missbilligend auf Leichtsinn, überlassen nichts dem Zufall und finden keinen Gefallen an Überraschungen. Selbst der Gedanke, dass großartige Ideen spontan zustande kommen können bzw. von Leuten, die nicht über das jeweilige Know How verfügen, ausgesprochen werden, ist für Deutsche einfach undenkbar. Lieber verzichten sie auf eine funktionierende Erfindung als sich an den Gedanken zu gewöhnen, dass Schaffen meist ein spontaner und ungesteuerter Prozess ist.
http://www.langust.ru/review/xenogera.shtml#top

Das Folgende ruht ganz fest auf russischem Selbstverständnis.

Deutsche gelten als ein sehr emotionskarges Volk. Aber wenn sich weniger einander weniger nahe stehende Personen treffen, können sie sich durchaus umarmen und küssen.
http://www.germanyclub.ru/index.php?pageNum=167

Die Deutschen schaffen es wie kein anderes Volk, die Emotionen unter Kontrolle zu halten.
http://www.verbena-travel.ru/ger_about.html

Deutsche lieben Sauberkeit.

In Deutschland ist es sehr sauber und die Menschen achten drauf, dass es auch so bleibt. Sie geben sich alle Mühe, Sauberkeit zu halten. Ich habe aber auch Müllhaufen gesehen und Plastikabfall auf den Straßen, bloß nicht in solchen Mengen wie in Russland.
http://forum.velomania.ru/index.php?showtopic=9926&st=0&

Die Deutschen sind für ihre Ordnungsliebe weltweit bekannt. Jeder, der mal in Deutschland gewesen ist, hat sicherlich bemerkt, dass die Straßen außerordentlich sauber sind, ganz zu schweigen von der Sauberkeit in jedem Haus.
http://www.pagesoflove.ru/katalog_inostranec/germany/

Bedenken Sie: Adressat für die Bewertung sind sicherlich die Russen. Will da jemand für Sauberkeit werben im eigenen Land? Das Pärchen Ordnung und Sauberkeit passt unhinterfragbar zusammen.

Die Deutschen lieben Sauberkeit. Hygiene ist eine Existenzbedingung und da fängt die berühmte deutsche Ordnung an. Den Ehrenplatz in den Badezimmern belegen Gegenstände für die Zahnpflege.
http://www.doctor-travel.ru/marshrut/strana/detail.php?ID=1309

Es ist immer die Frage: Auf welcher Basis ruht das Stereotyp? Was ist der default des Trägers? Wie werden seine Zähne ausschauen?

> Mit ihrer Gesundheit gehen sie sehr sorgfältig um. Fragen Sie den Deutschen, wie es ihm geht – und Sie werden eine detaillierte und gründliche Antwort hören über den Zustand des gesamten Organismus wie auch einzelner Organe. Wenn Sie das nicht hören wollen, dann stellen Sie die Frage lieber nicht.
> http://www.doctor-travel.ru/marshrut/strana/detail.php?ID=1309

Das wäre eine interessante Beobachtung über Kommunikationsgewohnheiten. Schade, dass es ein Stereotyp ist. Aber didaktisch nutzbar wäre es doch. Eine Anregung für kritische Experimente und Garfinkeling.

Deutsche lieben Bier.

> Bei den Deutschen gibt es nur „gutes" oder „sehr gutes" Bier. Den ganzen überflüssigen Import bezeichnen sie als unausweichliche Folge der Globalisierung. Wer wird schon freiwillig diese dubiose Flüssigkeit von zweifelhaftem Ruf zu sich nehmen, wenn es doch das Wahre und Unübertreffliche aus eigener Herstellung gibt? So wie früher in Russland der Brotmangel durch Missernten zur Hungersnot geführt hat, so könnte ein Deutscher ohne sein Lieblingsgetränk wohl nicht lange überleben.
> http://www.vokrugsveta.ru/vs/article/587/

> Wie man weiß, können sich die Deutschen das Leben ohne Bier nicht vorstellen. Seit Jahrhunderten begleitet dieses Getränk sie in allen Lebenslagen. Kurz gesagt: Ohne Bier wäre das Leben einfach nicht lebenswert.
> http://provkusno.ru/vkusy-mira/guten-appetit

Ein komplementäres Stereotyp? Bier für die einen, Wodka für die anderen? Das eigentliche Interesse ist gleich. Eine Art der Völkerverständigung.

Bier ist das Nationalgetränk Deutschlands. In den Brauereien der Regionen hat jedes Bier einen für sich typischen Geschmack sowie eine eigene Konsistenz. Bayern gilt als Hauptregion deutscher Bierproduktion. Hier ist die Biersorte von der Jahreszeit abhängig.

http://www.alpha-tur.ru/?id=german

Das ist hoffentlich vom Hörensagen – wie die meisten Stereotype. Wer es glaubt und hofft, kann nur enttäuscht werden. Positiv gewertete Stereotype können aufsteigen bis zum Mythos.

Deutsche lieben das Biertrinken, im Grunde halten sie Bier nicht mal für ein richtiges alkoholisches Getränk. Nach einem Liter Bier können sie sich ruhig hinters Steuer setzen. Das ist erlaubt.

http://www.from-ua.com/kio/41d29fac0e319/

Auch hier: Versteckte Hoffnung des Stereotypenträgers?

Deutsche trinken tatsächlich viel Bier. In jeder Stadt gibt es eine eigene, für sie typische Biersorte, die die ortsansässigen Brauereien brauen. Vom Bier werden Deutsche auch gutmütiger.

http://www.tourua.com/ru/world_news/info-26561-info.html

Der Deutsche säuft sich voll mit Bier auf dem Oktoberfest, läuft in Lederhosen und Filzmütze mit Feder. Alle Deutschen sind blond und haben blaue Augen, sind kalt, berechnend, ernähren sich von Wurst, Sauerkraut und Kartoffeln, ihre musikalischen Vorlieben beschränken sich auf Beethoven und Bach.

http://tmn. fio.ru/works/41x/311/06.htm

Wir wissen schon: **Mit Ironie und Übertreibung kann man Stereotypen entgegentreten.** Oder ist das gar ernst gemeint?

Das Oktoberfest liefert einen Fixpunkt für Stereotype, sozusagen eine Ikone des Deutschen. Haben die Stereotypisierten ein Interesse an der Stereotypisierung? Füttern sie sie gar? Auf jeden Fall scheinen sie als Werbeträger gut zu funktionieren.

Fazit

Erstaunlich: Stereotypen werden gerechtfertigt. Aber meist wieder durch Stereotypen. So wuchert das Ganze weiter und weiter. Auch schon mal ein einzelnes Beispiel mag genügen. Aber auch Gewährsleute sind willkommen. Als besonders überzeugend wird proklamiert: Ich war da, habe es selbst gesehen. Und dann macht Wiederholung Stereotypen echt haltbar.

Bemerkenswert ist hier, dass viele Stereotype beider Seiten irgendwie aufeinander bezogen sind. Manche ergänzen sich. Die einen trinken nur Wodka, die anderen eben Bier.

Andere sind Spiegel, die sich strukturell ergeben. Man könnte Außenspiegel und Innenspiegel unterscheiden.

- Gehen die Deutschen davon aus, dass die Russen chaotisch und faul seien, ist das russische Stereotyp dazu, dass die Deutschen stets fleißig und arbeitsam seien. Wer könnte da Recht haben?

- Sollten die Russen aus deutscher Sicht den Hang haben, nicht gerade Ordnungsmeister zu sein, sind die Deutschen aus russischer Sicht die Meister in Ordnung und Organisation. Einen universalen Standard gibt es da nicht.

- Halten sich die Deutschen angeblich streng an Regeln und gelten als rechtsstaatliche Nation, so sehen sie bei den Russen Regellosigkeit und die Veranlagung zu laxem Umgang mit dem Gesetz.

- Erscheinen die Deutschen den Russen als reich und wohlhabend, werden die Russen von Deutschen oft als arm und rückständig gesehen.

- Während die Russen denken, die Deutschen seien Trockenfürze, halten die Deutschen die Russen für ein Volk, das gerne feiert und dem Wodka nicht abgeneigt ist.

Ähnliche Spiegelungen gelten erst recht für das Selbstbild: Sehen die Russen Deutsche als absolut ernsthaft, beherrscht oder gar kalt, halten sie sich selbst für einfache und großzügige Menschen mit russischer Seele. So kann man für sich selbst Trost beziehen aus dem Stereotyp über die anderen. Ein gutes Motiv?

Stereotypisierungen reduzieren komplexere Zusammenhänge so, dass sie ins eigene Weltbild passen. Auf der Basis von Wissensskeletten wird weiter gebaut und gewertet. Wollten wir anders vorgehen, müssten wir ständig vor uns hinmurmeln: Ich weiß es eigentlich nicht so genau. So schaffen wir Realität, auch vom Hörensagen mit ein bisschen eigener Anschauung, ohne zu realisieren, dass wir nur sehen, was wir wissen. Die Stereotypen werden eingebaut ins Netz, stützen sich gegenseitig. Stringente Kohärenz und Konsistenz ist da nicht gefordert. Homogen muss das Weltbild nicht sein. Wir lieben es locker und löchrig.

3. Blonde Teufel gegen Gelbe Gefahr

Diesen Titel müssten wir erklären: Anfang des 20. Jahrhunderts waren die Deutschen für Chinesen blonde Teufel. Das wird verständlich, wenn man deutsches Wirken in der Kolonialisierung bedenkt.

Aus Kaiser Wilhelms II. Hunnenrede

Eine große Aufgabe harrt Eurer: Ihr sollt das schwere Unrecht, das geschehen ist, sühnen. Die Chinesen haben das Völkerrecht umgeworfen, sie haben in einer in der Weltgeschichte nicht erhörten Weise der Heiligkeit des Gesandten, den Pflichten des Gastrechts Hohn gesprochen. Es ist das um so empörender, als dies Verbrechen begangen worden ist von einer Nation, die auf ihre alte Kultur stolz ist. Bewährt die alte preußische Tüchtigkeit, zeigt euch als Christen im freudigen Ertragen von Leiden, mögen Ehre und Ruhm euren Fahnen und Waffen folgen, gebt an Manneszucht und Disziplin aller Welt ein Beispiel […]
Kommt ihr vor den Feind, so wird er geschlagen. Pardon wird nicht gegeben, Gefangene nicht gemacht. Wer Euch in die Hände fällt, sei in Eurer Hand. Wie vor tausend Jahren die Hunnen unter ihrem König Etzel sich einen Namen gemacht, der sie noch jetzt in der Überlieferung gewaltig erscheinen lässt, so möge der Name Deutschlands in China in einer solchen Weise bekannt werden, dass niemals wieder ein Chinese es wagt, etwa einen Deutschen auch nur scheel anzusehen!

Dies scheint heute für Chinesen nicht mehr präsent. Sie sehen die Deutschen eher als Putzteufel.

3.1 Deutsche über Chinesen

Gelbe Gefahr

Doch den langen Marsch der Volksrepublik Richtung Marktwirtschaft be-
gleiten Meldungen, in denen die „gelbe Gefahr" eine Neuauflage erlebt:
„Die Chinesen kommen!" Diesmal nicht als militärstrategisches Feindbild,
sondern als beinharte Konkurrenten im globalen Wettbewerb.
http://www.mittelstandswiki.de/Keine_Angst_vor_den_Chinesen,_Teil_1

Nun heißt es also: „Die Chinesen kommen" – und mancher mag den
Vormarsch aus Fernost erneut argwöhnisch beobachten und sich fragen:
Flattern bald die roten Fahnen vor den Wolkenkratzern in New York?
http://www.cmn-consult.com/de/pp_die_chinesen_kommen.html

Letztlich sitzen die Chinesen immer am längeren Hebel, da gerade das
wirtschaftliche Potenzial des Landes so groß ist. Deswegen ist es auch in
den Menschenrechts- und Demokratiefragen wichtig, dass westliche Staa-
ten an einem Strang ziehen.
http://www.sueddeutsche.de/ausland/artikel/52/129828/

Die Chinesen machen uns platt.
http://www.zertifikateboard.de/plauderecke/1117-airbus-verkauft-150-
maschinen-nach-china/

Zwar sind dies ausgewählte Funde, doch vermitteln sie den Eindruck, dass in
einem Stereotypen-Diskurs eine gewisse Kohärenz herrschen kann. Sie basiert
nicht nur auf dem Topik, sondern kann durchaus verwandte Behauptungen
und stützende Zusammenhänge umfassen. Vielleicht sind viele dieser Vorstel-
lungen hergeleitet von der Tatsache, dass es so viele Chinesen gibt, mit einem
Bild in den Köpfen, was passieren würde, wenn die sich in Bewegung setzen.
Ein bisschen Kriegsmetaphorik spielt ja sowieso herein.

Die Chinesen kopieren alles.

Problematisch ist die Tatsache, dass in China alles „kopiert" wird, wirklich alles! Man kann sich nicht mehr sicher sein, ob ein reelles Produkt in China produziert oder in China abgekupfert wurde.
http://www.win-tipps-tweaks.de/forum/off-topic/13004-ebay-betrug-alle-chinesen-ber-kamm.html

Die Chinesen gelten vor allem bei technischen Nachbauten als Weltmeister der Kopie.
http://www.stuttgarter-zeitung.de/stz/page/detail.php/1342390

Aber die Chinesen sind nicht blöd und können zudem strategisch denken. Sie bestellen Maschinen für die Produktion, aber auch in der Absicht, sie eines Tages nachbauen zu können.
http://www.weltwirtschaft-globalisierung.de/absatzmaerkte-china.html

Ach so! Die Chinesen wollen deutsche Qualität und keine Ausschussware.
http://www.derwesten.de/community/remoteS1Articles/news-7980774/comments

Das Abkupfern anzuprangern lohnt sich. Wir sind der reine Gegensatz zu den Chinesen, halten das individuelle Erfinderethos hoch gegen die Massen und die Massenware. Darauf kommt man, wenn man sich absetzen will. Differenzen zählen für die Stereotypisierung.

Für Menschen, deren Produkte wortbasiert sind, ist der Klau mit copy and paste leider nicht chinaspezifisch. Allerdings dachten wir, wir hätten uns einen gewissen Standard erarbeitet, der offenbar diesen Schreibern noch vorschwebt. Aber ist so ein Standard nicht auch ein Stereotyp? Sind nicht sogar Ideale so etwas wie Stereotype?

Die Chinesen sind rücksichtslose Geschäftsleute.

Wer traut denn den Chinesen bedingungslos? Schließlich sind die Chinesen keine US Amerikaner, denn denen kann man ja 100 %ig vertrauen, oder?
http://forum.chip.de/politik/chinesen-besorgt-921904.html

Immerhin schön gehedgt und mit ironisierendem Nachklapp.

Achtung: der Chinese ist ein berechnender Geschäftsmann.
http://www.chinateam.de/index.php?tname=cnknigge&id=20

Im Geschäftlichen könnte es besonders hilfreich sein, grundsätzlich davon auszugehen, dass alle Beteiligten das Gleiche wollen. So wäre manches nicht erstaunlich oder erwähnenswert. Welches Stereotyp liegt hier zugrunde, auf dem es erwähnenswert wird?

Die Chinesen machen das äußerst smart und vollkommen rücksichtslos.
http://www.basicthinking.de/blog/2007/09/26/china-baidu-vernichtet-google/

Chinesen gelten als harte Verhandlungspartner. Ihre Taktik sorgt bei Deutschen nicht selten für Verwirrung.
http://www.handelsblatt.com/news/default.aspx?_p=302044&_t=cngr&grid_d=1296977

Ist der Erwartungshintergrund solcher Äußerungen etwa, dass andere nett und kooperativ sein sollten oder gar angeblich sind? Man selbst klärt dann auf, dass dem nicht so ist, warnt die Kompatrioten. **Stereotypen fassen den Status Quo. Sie vermitteln keine Anregung zur Verbesserung oder besserem Verständnis.**

Die Chinesen haben kein Umweltbewusstsein.

> Die CHINESEN sind nicht zimperlich im Umgang mit giftigen Zusatz-
> stoffen.
> http://www.rk-media.com/

> Die Chinesen geben einen Dreck auf die Umwelt und wiederholen die
> Fehler, die hier im Westen während der Phase des ungezügelten Wirt-
> schaftwachstums gemacht wurden gnadenlos.
> http://www.shortnews.de/start.cfm?id=639478

Hier kommt immerhin zum Ausdruck, dass für uns gerade das bemerkenswert
ist, was uns bewegt, und besonders, was wir gerade überwunden zu haben
glauben. Das sollte bei Stereotypen immer bedacht werden. Was für uns bedeutsam ist, darauf hin überprüfen wir die anderen. **Was wir gerade glauben
überwunden zu haben, das entdecken wir bei den anderen.** Schließlich
haben sie gefälligst so zu sein wie wir. Das kann man als die soziale Grundstruktur positiver Stereotypen sehen: Man möchte, dass die anderen so sind
wie wir – oder zumindest so, wie wir uns einbilden zu sein oder auch sein
möchten. Sie enthalten sozusagen eine soziale Utopie.

> Wenn es um Tierquälerei geht – Die Chinesen sind immer dabei.
> http://www.tigerfreund.de/6/erschreckende_webseiten_2006-teil2.htm

> Vor allem in China gibt es am meisten Tierquälerei.
> http://www.digitalvoodoo.de/blog/archives/fotos-und-bilder/
> foto-hunde-essen-in-china-hundeschlachtung-china-tierquaelerei-china.php

Können Sie sich die Bilder dazu vorstellen? Schauen Sie mal unter der URL.

Chinesen halten nicht viel von Hygiene.

Gestern habe ich mir meine Nase schnauben müssen. Ich glaube die Chinesen in meiner Nähe kannten dieses Geräusch nicht, denn ich benutzte ein Taschentuch. Gewöhnlich wird hier die Mund- oder die Charlottenburger Technik benutzt.
http://www.umdiewelt.de/Asien/Ostasien/China/Reisebericht-160/Kapitel-0.html

Schneuzen ist ein interkulturelles Standardthema. Die Deutschen sind die größten und lautesten Rotzer. Das wird immer wieder thematisiert. Insofern ist der unsensible Schreiber ein schönes Beispiel für: „... und siehst den Pfahl in deinem eigenen Auge nicht".

Und so viel zum Thema „die Gebildeten spucken nicht": bei ihr machte es keinen Unterschied, in der Lehrer- oder der Studentenmensa zu essen, alle Tische waren nach einer Mahlzeit unbenutzbar, da von dicker Spuckschicht überzogen.
http://wuxialaaf.blogr.de/stories/3018844/

Trägt der Stereo-Träger zu dick auf, verliert er an Glaubwürdigkeit. Wirklich?

Der Chinese ist bekanntlich nicht wegen allzu großer Reinlichkeit berühmt.
http://karlmay.leo.org/kmg/primlit/jugend/kongkheo/meth24.htm

Die Generalisierung im Singular mit definitem Artikel war Usus für Nationen: **der Jude, der Russe.** Sie **war Nazijargon und wurde als solcher und als gefährlich entlarvt.** Sie scheint heute selten. Und hier, eine Reminiszenz an die Nazis? Bei uns beiden schon.

Meist gibt es noch nicht mal Trennwände zwischen den Stehschüsseln und die Chinesen sind doch sehr interessiert, wenn da mal so ein Ausländer ist.
http://www.monikas-rundbriefe.de/text6.html

Da schimmern **Tabus durch das Stereotyp**. Aber Tabus werden eben normalerweise nicht ausgesprochen. Wie also sprachlich damit umgehen, wie sie formulieren? Natürlich **indirekt: eine euphemistische (?) Umschreibung**: „Charlottenburger Technik", **eine Art Litotes oder Ironie**: „sind doch sehr interessiert". Zählt hierzu auch die Übertreibung: „dicke Spuckschicht"?

Chinesen haben besondere Umgangsformen.

> Die Chinesen gelten als ausgesprochen höfliche Menschen.
> http://www.china-botschaft.de/det/ds/t346105.htm

> Man sagt: Die meisten Chinesen haben einen Charakter wie eine Thermoskanne, das Innere ist warm, es dringt aber nicht nach außen.
> http://www.taz.de/index.php?id=archivseite&dig=2007/06/04/a0187

> Es gibt in China Millionen Fettnäpfchen, in die man treten kann. Bei unserem ersten Besuch brachten wir aus Deutschland der Gastfamilie eine Kuckucksuhr mit. Das steht leider in China für Ablauf der Freundschaft.
> http://www.welt.de/wissenschaft/starstreffengeistesgroessen/article 1435177/Bunte_Hunde_in_China.html

Von solchen Fauxpas leben interkulturelle Trainingsprogramme. Man kann die Beispiele aufzählen: ein Schwarzwälder Schinken als Gastgeschenk in einem muslimischen Land, weiße Chrysanthemen für die deutsche Gastgeberin, auffallend Gelbes in Japan. So was wäre also schön interkulturell nutzbar, wie auch das folgende Stereotyp.

Chinesen kommunizieren anders.

> In Deutschland sagt man: Ja und Nein. Aber in China sagt man: Ja – oder: Ja, aber.
> http://www.dradio.de/dlf/sendungen/hiwi/444794/

Ist das einer der Gründe dafür, warum Chinesen als höflich gelten?

Indirektheit als Höflichkeit legt eine besondere Höflichkeitsauffassung zugrunde. Indirektheit gilt auch als Grund für Missverständnisse.

> Die größte Quelle für Missverständnisse sei die Erwartung, von den Chinesen ein klares ‚Ja' oder ‚Nein' zu bekommen.
> http://www.faz.net/artikel/C30350/management-guanxi-ist-in-china-der-weg-zum-erfolg-30011544.html

Hier dürfen wir gespannt sein auf das Spiegelstereotyp. Und wie wird es beim folgenden aussehen?

Alle Chinesen sehen gleich aus.

> Tatsächlich, alle Chinesen haben schwarze Haare. Auf den Straßen sind um mich herum Wogen von schwarzen Köpfen.
> http://www.mp. haw-hamburg.de/FKZ2000/Shanghai/shanghai.html

> Warum haben die Chinesen immer schlitzaufen und schwarze Haare?
> http://www.hiogi.de/question/warum-haben-die-chinesen-immer-schlitzaufen-und-schwarze-haare-5839.html

> Die meisten Chinesen können nicht entscheiden, wer kommt von Deutschland und wer kommt von USA, England, Frankreich... für sie sind alle Westener gleich.
> http://debatte.welt.de/weblogs/164/chinafieber+tage+des+aufstiegs/51943/mehr+chinablogs?page=1&print=1

Es ist bekannt: **Man stereotypisiert über das, was einem auffällt.** Das generalisiert man. In gewissem Sinn ist es eine Erkenntnis, wenn man anderen das auch zugesteht. Aber ist es hier so gedacht?
Abschließend noch einige Stichwörter, was Deutsche über Chinesen sagen.

Deutsche über Chinesen

3.2 Chinesen über Deutsche

Deutsche lieben Ordnung und Regeln.

毫无怀疑，德国人非常乐于遵守规则．每一个人都在属
于自己的地方,每一件东西都有属于它自己的位置．在
中国很少见到如此细节性的规划和行为准则．德国人

Deutsche lieben die Ordnung, ganz ohne Zweifel. Jeder Mensch sollte dort sein, wo er hingehört. Auch jedes Ding hat seinen ,richtigen' Platz. In China wird weniger detailliert und vorausschauend geplant als in Deutschland. Aber die Deutschen planen sehr detailliert und vergleichsweise langfristig. http://web. peopledaily.com.cn/enjoy100/200006/16/ylxw/20000616_ss_1816.html

井然有序是德国人的基本品德. 他们喜欢整洁干净的
街道, 广场以及周边环境, 非常有规则, 有秩序的交
通和规则. 几乎所有德国人都觉得井然有序是非常重

Ordnungsliebe gilt als Tugend für Deutsche. Sie lieben saubere Straßen, Plätze und Umgebung, strikt geregelten Verkehr und Vorschriften. Für fast alle Deutschen ist Ordnung sehr wichtig. Sie können mit Unordnung überhaupt nicht umgehen, das können sie nicht ertragen.
http://hi.baidu.com/qingrenmei123/blog/item/5d26682ad2f04028d52 af 1eb.html

有条有理对于德国人来说是必须, 并且长时间保持的,
因为他们总是乐于根据自己的条理性把所有事物都规
划和安排的很富有规则. 德国人同样也十分呆板, 他

Ordnungsgemäß, das ist für Deutsche notwendig, weil sie in ihrer Ordnungsliebe alles und immer sortieren und regeln wollen. Die Deutschen sind entsprechend wenig flexibel – das kommt von ihrer Ordnungsliebe.
http://hi.baidu.com/riteos/blog/item/d8d262c7c54d88d9d10060f7.html

Wenn man Stereotype über uns selbst liest, neigt man vielleicht eher zur Abwehr. Man kann sich aber auch ein bisschen wundern und nachdenken. So kommen wir zur Reflexion über unsere eigenen Stereotype und Ideale gar. Wie soll denn Ordnung keine Tugend sein? Was wäre sie dann? Könnte sogar ein unordentlicher Chinese tugendhaft sein?

Allgemein bekannt ist der deutsche Sinn für Ordnung, besonders die Müllordnung. Sie entsorgen den Hausmüll in den grünen Behälter – für

größeren Hausrat gibt es die gelbe Tonne. Sie scheinen stets genauen Überblick über den Inhalt der Tonnen und ihre Anordnung zu haben.
http://www.zjol.com.cn/05liuxue/system/2007/11/15/008975302.shtml

Ordentlichkeit ist für Deutsche absolut notwendig. Darum wollen sie in ihrer Ordnungsliebe immer alles sortieren und regeln. Die Deutschen sind wenig flexibel – das ist wohl die Folge ihrer Ordnungsliebe.
http://hi.baidu.com/riteos/blog/item/d8d262c7c54d88d9d10060f7.html

Ein interessanter Zusammenhang? Aber das ist nicht die einzige Folge. So lange jeder für sich selbst Ordnung hält, kein Problem. Aber ein neuer Zusammenhang ist die daraus resultierende Kontrolle, wie sie der nächste Beitrag sieht.

Deutsche sind viel zu regeltreu. Es ist doch ein Unding, dass man in Deutschland beim Überqueren einer Straße von anderen Passanten aufgehalten wird, nur weil die Ampel rot zeigt.
http://hi.baidu.com/170057789/blog/item/8b10b0fb2d379e224e4aea6 a.html

Ist es vernünftig, Stereotype, die indirekt von einem selbst handeln, auf ihren Wahrheitsgehalt sozusagen zu befragen? Auf ihre Plausibilität? Oder soll ich sie einfach von mir weisen? Wegerklären? Anders gesagt: Soll ich mich fragen, wie weit derartige Beobachtungen nach meiner Meinung zutreffen, welche Bewertungsbasis der Stereotypenträger zugrunde legt und wie sich das hier auswirkt? **Einfach ignorieren oder abtun sollten wir Stereotype eher nicht. Sie bieten uns eine erste Grundlage für Überlegungen zur Interkulturellen Kommunikation.** Da dürfen wir auch schon Eigenes und Selbstverständliches in Frage stellen.

Deutsche sind pünktlich.

> Wenn eine Party pünktlich um 8 Uhr stattfindet, muss man dem Deutschen sagen, genau 8 Uhr; dem Spanier 7. 40; dem Argentinier halb 7, aber zum Japaner muss man sagen: 5 nach 8, weil für Japaner richtig pünktlich 5 Minuten davor ist.
>
> http://news.xinhuanet.com/overseas/2004-11/09/content_2193503.htm

Hatten wir das nicht schon? Es gibt Meinungen, die gehen im Wortlaut um die Welt. Übernahmen, abschreiben, abhören und wiederholen sind nicht stereotypentypisch. Sie sind der generelle Urgrund des sozialen Zusammenhalts. Von Wiederholung lebt unsere Sprache wie unsere Kultur.

Deutsche arbeiten systematisch und sind dadurch unflexibel.

> ... finde ich, wenn du nur in einem konkreten Programm mit einem oder einigen Deutschen zusammenarbeitest, dass sie perfekte Partner sind, weil sie so wie Maschinen jeden Schritt im Gedächtnis behalten und dann alles ganz genau ausführen.
>
> Danach habe ich festgestellt, dass Lernen in der Praxis und flexibles Arbeiten in einer neuen Situation mit den Deutschen gar nicht geht. Außerhalb der Zusammenarbeit im Beruf finde ich, dass die sogenannte Gewissenhaftigkeit der Deutschen und das systematische Gestalten ihres Lebens auch sehr komisch sind. Ich bin sicher, dass für viele Deutsche diese Gewissenhaftigkeit eine Rationalisierung der Arbeit bedeutet. Wenn irgendwas ungewöhnlich ist und sie flexibel arbeiten müssen, wissen sie nicht mehr, was sie machen sollen.
>
> http://www.51ielts.com/disp.asp?num=37806&news_class=1404

Wieder so ein inferierter Zusammenhang. Derart Stereotypisierungen eignen sich besonders gut für Interkulturelles Training. Sie könnten Ethnozentrismus erschüttern. So auch, wenn die Sprachproblematik aufkommt oder aufgebracht wird.

Deutsche sind gewissenhaft und ordentlich.

[...] 德国人的这种认真仔细不仅表现在工作中，在日常生活中也随处可见。比如分类倒垃圾。德国的居民垃圾通常分为废纸、包装垃圾、生活垃圾和废玻璃四大类，有些地区还要加一种生物垃圾。仔细得连扔玻璃瓶也会将瓶上的铁盖或塑料盖去掉分类装入垃圾中。"玻璃就是玻璃，不能有其它东西"，这就是德国人的解释。[...]

Die Gewissenhaftigkeit der Deutschen kommt nicht nur in der Arbeit zum Tragen, sie findet sich auch überall im Alltagsleben, z. B. bei der Mülltrennung. Die Deutschen trennen Müll in vier Sorten, Papier, Verpackung, Restmüll und Glas; manche haben auch noch Biomüll. Sie sind so gewissenhaft, dass sie die Eisen- oder Plastikumhüllung zuerst wegnehmen und dann den Abfall getrennt in die Mülltonne werfen. „Glas ist Glas und deshalb darf nichts anderes in den Glascontainer rein." Das ist die Vorstellung der Deutschen.
http://qyfwzx.songjiang.gov.cn:88/www/briefingDetail.jsp?briefingId=16149

Bei der Formulierung dieses Stereotyps wird das Übersetzungsproblem offenbar. **Kulturen sind ja im Grund inkommensurabel. Übersetzungen überspielen dies leider.** Sie suggerieren uns, irgendwie sei es sonst wo doch so wie bei uns und das Verstehen sei so einfach. Das Wort *Yan Jin* ist schwer ins Deutsche zu übersetzen. Für Chinesen beschreibt es eine Charaktereigenschaft, die das Denken und Handeln beeinflusst. Gewöhnlich ist der Versuch, die Bedeutung durch mehrere Wörter zu fassen, etwa: „Gewissenhaftigkeit, Ernsthaftigkeit oder Behutsamkeit". Wie ist das zu verstehen? Welches Oder soll gelten? Die Wörter passen ja so gut nicht zusammen. Außerdem ist *behutsam* ein etwas seltenes Wort mit einem leicht archaisierenden Geschmack.

Selbst bei Suchmasken stoßen wir auf derartige Probleme. Wie machen wir das mit dem generalisierenden Artikel in den artikellosen slawischen Sprachen. Oder zum Beispiel im Polnischen, wo nach Deutschen und Deutschland mit dem gleichen Wort (*niemcy*) zu suchen ist. Schwierig ist auch die Unterscheidung von Volk und Nation im Polnischen. Beides umfasst *narod*.

Die Deutschen sind direkt.

> Deutsche pflegen einen sehr direkten Kommunikationsstil und können Kritik ungeschminkt und deutlich äußern. Es mangelt ihnen an Diplomatie.
> http://past. people.com.cn/GB/guoji/25/95/20030529/1003402.html

Und hier das Spiegelstereotyp, das uns die Struktur interkultureller Kommunikation erkennen lässt. Wir gehen erst von unseren Erwartungen und Gewohnheiten aus. **Wenn wir erkennen, dass Scheinäquivalentes etwas anderes bedeutet, haben wir einen ersten Schritt getan**, so wir hier:

> Die Deutschen beantworten alle Fragen einfach immer direkt mit ‚Ja' oder ‚Nein'. Sie meinen das nicht böse und wollen andere nicht beleidigen. In Deutschland wird eine klare Antwort erwartet, auch wenn die Antwort negativ ist. Normalerweise ist für einen Chinesen die Antwort ‚Nein' tabu. Dagegen ist es eine deutsche Eigenschaft: offen und eisern direkt.
> http://tieba.baidu.com/f?kz=113685986

Malen Sie sich aus, wie die Kommunikation funktioniert, wenn ein Ja-Nein-Sager auf einen Chinesen trifft. Er wird annehmen, der weiche aus, sei unklar usw. Und der Chinese? Er hält den Ja-Nein-Sager für sehr direkt und unhöflich. Richtig kompliziert wird es aber, wenn beide interkulturell gebildet sind und das Einschlägige voneinander wissen. Dann denkt der Chinese: Was für ein Softi-Deutscher, und der Deutsche: Also sind die Chinesen doch anders. Was meint der, wenn er so direkt ist? Er sollte doch viel sanfter reden.

Chinesen über Deutsche

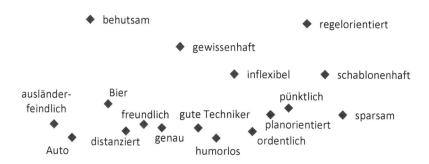

Öfter werden Fremdstereotype den Eigenstereotypen gegenübergestellt. **Eigenstereotype sind aber eher Ideale, Ideale, die angeblich in einer Gesellschaft geteilt werden.** Trotz ihres normativen Charakters können Sie zum Verstehen beitragen. Sie können den Boden liefern für die Beurteilung der anderen.

Wir geben hier ein Beispiel für ein chinesisches Eigenstereotyp.

Chinesen: Eigenstereotyp

Missvergnügen vermeiden

Suche nach Harmonie   höflich

freundlich

Selbstachtung wahren

Innenleben verbergen

Fazit

Chinesen sind weiter weg als Polen und Russen. Es gibt weniger Kontaktsituationen, keine chinesischen Spargelstecher und immer noch wenig chinesische und deutsche Touristen im jeweils anderen Land. Das deutsche Chinarestaurant und weit verbreitete chinesische Gesundheitspraktiken tauchen aber nicht im Fundus auf. Thematisch wichtig ist dagegen der Geschäftsbereich. Haben hier die Medien einen verstärkten Anteil. Auch die anscheinend völlig andere Lebensweise regt die Stereotypenbildung an. Hier geht es verstärkt in Tabubereiche zumindest von Seiten der deutschen Stereotypisierer. Trotz der größeren Distanz, die deutschen Stereotypen kann man wieder erkennen: Ordnung, Regelorientierung, Direktheit, Pünktlichkeit, Gewissenhaftigkeit und wenig Flexibilität. Aber die Ausführungen, die Präsentationen dieser Eigenschaften klingen doch anders.

Folgende inhaltlichen, formalen und konversationellen Merkmale von Stereotypen konnten wir in diesem Kapitel aufspüren:

- Stereotypen fassen den Status Quo. Sie vermitteln keine Anregung zur Verbesserung oder besserem Verständnis.

- Was für uns bedeutsam ist, darauf hin überprüfen wir die anderen. Was wir gerade glauben überwunden zu haben, das entdecken wir bei den anderen.

- Die Generalisierung im Singular mit definitem Artikel „der Chinese" war im Nazijargon Usus für Nationen. Bei dieser Reminiszenz ist Vorsicht geboten!

- Stereotype können enttabuisieren. Sprachlich ist das nicht ganz einfach, denn Tabus werden eigentlich nicht ausgesprochen.

- Man stereotypisiert über das, was einem auffällt. Das generalisiert man. Stereotype spiegeln also immer die Eigenperspektive, denn wir können gar nicht anders also von unseren Erwartungen und Gewohnheiten auszugehen.

- Bei der Formierung eines Stereotyps wird das Übersetzungsproblem offenbar. Kulturen sind im Grunde inkommensurabel.

- Öfter werden Fremdsteretype den Eigenstereotypen gegenübergestellt. Eigenstereotype sind oft geteilte Idealisierungen.

- Stereotypen sind Fundgruben für Interkulturelles Training. Sie liefern Spiegel und Fettnäpfchen.

4. Doch wie schaut's da drin aus?

4.1 Deutsche über Japaner

Beginnen wir mit einem Überblick: Was steckt in deutschen Köpfen über Japaner und was vor allem kommt heraus?
Wir bieten die Funde nach groben Stereotypen. Beim ersten Block fällt auf, dass hier nur mediale Erfahrungen oder Belege kommen. Ist bewusst, dass die Japaner doch weit weg sind und dass man wenig „realen" Kontakt mit ihnen hat und wenig über sie weiß?

„Die spinnen, die Japaner!"

Die spinnen, die Japaner
Für viele Europäer sind die Japaner ein doch gar seltsames Völkchen. Doch kaum glaubt man, durch Zeitungen, Internet und Radio-Berichte sich ein etwas besseres Bild der Inselgruppen-Bewohner verschafft zu haben, findet man in den unendlichen weiten des Netzes (naja, hauptsächlich auf youtube und Co.), sogleich wieder Beweise, dass diese Menschen vielleicht doch etwas anders ticken als wir. Ein paar Beweise dafür müssen an dieser Stelle einfach mal gezeigt werden.
http://www.playwii.de/blog/sonstiges/die-spinnen-die-japaner/

Das ist nun durchaus nicht negativ gemeint. Auch im folgenden kommt die Verrücktheit der Japaner gut weg.

Takeshi's Castle
Ich wies nicht wer diese Show kennt aber das ist doch voll der Hammer. Die Japaner sind und werden immer verrückt bleiben, oder hat man so etwas schon mal in Deutschland gesehen. Schon bei TV Total konnte man einen Einblick über die Verrücktheit der Japaner sehen aber Takeshi's Castle übertrifft alles.
http://www.ciao.de/Takeshi_s_Castle__Test_897392

Und auch hier schwingt Hochachtung mit:

> Die Japaner sind krank!
> Sind verspielt, geil auf Kuriositäten.
> Hi. Wir wissen nun alle, dass die Japaner krank sind.
> Was die alles mit Stiften machen können.
> BOAH
> Das will ich auch können verdammt.
> Schaut selbst und staunet:
> http://www.pcmasters.de/forum/off-topic/746-die-japaner-sind-krank.
> html

Da hat der Autor allerdings durch die Stereotypenbrille geschaut und nach seinem Verständnis zugeschrieben. Bei den pen tricks handelt es sich um ein koreanisches Amateur-Video. Egal? So feine Unterschiede kümmern Stereotypisierer nicht. Hauptsache Schlitzaugen?

Stereotalk spielt sich im Netz ab, genau wie die Fütterung mit Stereotypen und der Stereotypen selbst. Man muss nicht in Japan gewesen sein, um etwas über die Japaner zu wissen. Damit wird besonders deutlich: All dies hat mit Realität und realer Erfahrung nicht viel zu tun.

Japaner sind freundlich und höflich.

Freundlichkeit und Höflichkeit der Japaner sind sprichwörtlich.

> Freundlichkeit
> Zunächst ein mal die sprichwörtliche Freundlichkeit der Japaner. Ja, sie sind unheimlich freundlich. Aber diese Freundlichkeit ist für unerfahrene ziemlich anstrengend. Man muss unheimlich aufpassen was man sagt. Wenn man einfach nur erzählt, dass man z. B. Kaki Früchte gerne mag (http://www.afslanken.com/producten/kaki.jpg) ... so muss man damit rechnen dass irgendwer zum nächsten Supermarkt rennt um welche zu kaufen, egal ob man das will oder nicht. Wenn einem dann auch noch zu-

fällig raus rutscht, dass man gerne in den Onsen (heiße quelle) geht, muss man damit rechnen, dass der nächste Trip zum örtlichen Onsen gemacht wird.
http://jagebuch.blogspot.com/2006/11/gesellschaft-auf-japanisch.html

Das kann aber schnell umschlagen:

JAPAN, da ist alles irgendwie anders
NO-PROBLEM wird zum gefluegelten Wort. Wann auch immer wir ein Problem haben, alle Japaner sind hilfsbereit und im durchschnitt wird nach 25 min. zugegeben das der gefragte gar keine Ahnung hat.
http://www.harms-world.de/hw2/travel/berichte/japan/japan94.html

So wird aus freundlich ahnungslos. So führen andere Kommunikationsge-wohnheiten und ihre Deutung zu Folgerungen. Weil nicht sofort die erwartete Nein-Antwort kommt, wird nach deutscher Deutung aus Freundlichkeit Ah-nungslosigkeit. **Immer wird der Zugang zur anderen Kultur gefiltert oder gesehen durch die eigene Brille, das eigene Kategoriensystem.** Es ist das, was Verzerrungen und Stereotypen fördert wie im nächsten Beispiel:

Viele behaupten, die Freundlichkeit sei nur oberflächlich.
http://www.dooyoo.de/reiseziele-international/japan-1/374148/

Fragen der Höflichkeit und Freundlichkeit sind ein Renner in der Interkultu-rellen Kommunikation. Unklarheiten beginnen, wenn nicht zwischen Höf-lichkeit und Etikette unterschieden wird. Und dann ist natürlich die Frage, wie weit so ein Adjektiv wie *freundlich* reicht. Nach eigenen Kriterien verstandene Begrüßungsrituale werden oberflächlich kontrastierend als besonders höflich verstanden. Das ist ok und macht im Grund die Kommunikation sanfter und empathischer. Bleibt aber die Frage, ob da schon ein Missverständnis vorliegt, das Konsequenzen haben kann.

Außerdem kennen wir als Deutsche auch nicht anders, da kann man das schon verstehen. Aber die Japaner sind eben ein sehr höfliches Volk.
Sogar in der Familie ist man untereinander wahnsinnig höflich. Die Kinder sprechen ihre älteren Geschwister ja nicht einmal mit dem Vornamen an, sondern sagen „Nee-san" und so.
http://animexx.onlinewelten.com/forum/?forum=2&kategorie=1073& thread=141696&tseite=3

Das Suffix -*sama* ist nach gängiger Lehre höflicher als das Standard-Suffix -*san*, was in etwa „Herr" beziehungsweise „Frau" im Deutschen entspricht.
Genau unterscheiden zwischen freundlich und höflich können wir nicht. Doch immer sollte man fragen: Was bedeutet das im Land und für Japaner? Was tun sie eigentlich? So müssten wir nicht gleich ins andere Extrem fallen.

Einer der hartnäckigsten Mythen über Japan ist der von der japanischen Höflichkeit – und er ist falsch! Die Japaner sind nicht höflicher als andere Völker auch. In ihrem täglichen Umgang mit Fremden (nicht nur Ausländern) scheinen sie oft sogar noch unhöflicher zu sein. Ich bin noch nie in meinem Leben so oft umgelaufen worden, mir wurden noch nie so viele Türen vor der Nase zugeschlagen und so viele Ellbogen in die Rippen gestoßen wie hier.
http://www.vbuch-stolpe.de/asvb/reisen/typisch/typischjapanisch. htm#Hoeflichkeit

Viel rhetorischer Aufwand ist nötig, um gegen Stereotypen anzugehen.

Nein, die Japaner sind nicht besonders höflich – aber ihre Sprache ist es. Jahrhundertelange feudale Strukturen und eine strenge Klassengesellschaft, geprägt von einem konfuzianischen Hierarchiedenken haben dafür gesorgt, dass sich Sprachformen entwickelt haben, die diese Hierarchien sichergestellt haben.
http://www.vbuch-stolpe.de/asvb/reisen/typisch/typischjapanisch. htm# Hoeflichkeit

Da stellt sich jedem die Frage, wie das gehen soll. Die Sprache ist höflich und die Sprecher nicht? Wer sollte denn die Sprache gemacht haben und wie und wozu? **Aufgeklärt sein hilft gegen Stereotypie nicht weit.**

kontakte nach japan
ich habe noch keinen kontakt nach den usa, weiß nett warum, die leute sind mir meißt unsympatisch. japaner sind da viel netter.
ich habe das ja nur gesagt das ich diese erfahrung gemacht habe, aber das alle so sind habe ich nie gesagt, eher das die so komisch sind mit denen ich geschrieben habe, auf alle würde ich das nie beziehen, genau so kann man nich sagen alle japaner sind nett... das kann man nie verallgemeinern, ich spreche immer nur von den leuten die mir bekannt sind.
http://www.jrock-community.de/thread.php?threadid=535&sid=
5ed83ce667 e6610fca6d83e18922ef5d

Hier wieder das typische Merkmal des Stereotyps, dass es nur augenzwinkernd geäußert wird. Das trägt zur Immunisierung und Petrifizierung bei, selbst wenn wie hier zwei Kulturen gegeneinander ausgespielt werden. Eine stereotype Grundstruktur ist der Vergleich und fast immer wird das Eigene ins bessere Licht gerückt, bisweilen nur relativiert.

Die Japaner arbeiten sich zu Tode.

In Zeitungen wird schon mal über den Tod von Japanern durch Überarbeitung berichtet. Laut japanischem Gesundheitsministerium sterben in Japan immer mehr Japaner durch Überarbeitung.

Also die Japaner sind ja wirklich extrem drauf. Das beginnt bei denen ja schon in jungen Jahren, da müssen die schon fast den ganzen Tag, bis am Abend in der Schule verbringen, die werden da ja so richtig gedrillt. Das zieht sich dann im Berufsleben weiter, alles schneller, besser, ... einfach hektisch. Japan ist einfach ein hightech Land, echt Wahnsinn. Ich finde das nicht schlecht, wenn auch ein wenig übertrieben... aber wenigstens haben

sie dann in Japan eine bessere Einstellung zur Arbeit, als hier.... wenn ich hier die Leute jammern höre und motzen und sich weigern... da muss ich mich immer ärgern. Auch Sprüche wie „wieso sollt ich mich anstrengen, die Firma gehört mir ja nicht, ich verdien ja nicht dran" hört man in Japan bestimmt seltener als in Deutschland.... .
http://www.talkteria.de/forum/topic-2004.html

Dabei waren es wohl die Japaner, die den Fleiß erfunden haben. Sie arbeiten wie die Tiere. Durchschnittlich mehr als zehn Stunden am Tag. Damit das auch jeder durchhält, gibt es „Stärkungsmittelchen", die jeder Laden anbietet. Unmengen von Kaffee und Energiedrinks, gegen die Redbull wie ein lasches Wässerchen erscheint, und die in Deutschland wahrscheinlich nicht rezeptfrei erhältlich wären. Der japanische Fleiß hat sich auch in der Sprache niedergeschlagen. Eines der beliebtesten Grußworte lautet „ganbatte kudsai" – „Gib Dir bitte Mühe!".
http://www.unaufgefordert.de/content/view/892/7/

Interessant sind oft die URLs, unter denen geschrieben wird. Zur Beurteilung der Stereotype kann auch das wichtig sein. Welchen Eindruck machen die Beiträge auf uns? So haben wir bei den letzten beiden den Eindruck, dass die Schreiber einiges wissen über Japan. Macht das ihr Urteil verlässlicher für Sie? Die viele Arbeit führt sogar zu Sexproblemen. Da werden zwei Stereotype erklärend verbunden (und gestützt?):

naja bei so nem kleinen dödel würde ich auch nicht wollen.
aber scherz und klische beiseite.
ich weiß glaub ich warum die keinen sex haben. die haben schlicht und ergreifend keine zeit. die japaner sind doch das völkchen was sich am tot arbeiten ist. wieviele tage im jahr bekommen die urlaub? ich glaub 10 sind es.
von den wenigen tagen touren die im turbogang durch europa und knippsen alles was ihnen vor die linse kommt.
http://www.shortnews.de/start.cfm?id=702555

Frauenbrillen gibt es also auch. Nackte Japaner sieht man – glauben wir – nicht so oft. Die Schreiberin könnte sich mal mit einem Stereotyp über Neger befassen. Und da wir schon beim Sex sind, noch etwas zu zwei dicken Wörtern: *chikan* und *otaku*.

Hier können Sie dazu was Aufklärerisches lesen:

http://de.wikipedia.org/wiki/Chikan. Und nochmal Aufklärung?

Sex und Japan und das Internet

Ich bin als Student der Japanologie dauernd mit dieser stereotypischen Annäherung konfrontiert. Das ist okay, man darf das alles nicht zu ernst nehmen. Oft „wissen es die Leute halt nicht besser". Wie auch, sie studieren das alles nicht. und selbst ich habe immer noch viel zu wenig Ahnung. Aber ich muss zugeben öfters doch ein wenig genervt zu sein, wenn schon wieder ein „Die Japaner sind verrückt" kommt, oder mir unterstellt wird, ich müsste Manga und Anime mögen.

Noch interessanter sind die Ansichten über Sex. Und zwar einerseits Sex in Japan generell und andererseits Sex in Kombination mit Ausländern.

http://dergutename.wordpress.com/2007/04/23/hello-world/

Hier kommt schön zum Ausdruck, wie die Übertragung stereotypischer Denke funktioniert. Sogar der deutsche Japanologe hat sich zu interessieren für das selektive Wissen des Stereotypenträgers.

Doch zum Schluss noch ein schönes Stereotyp – oder wie viele?

Managerseminar: 30 Teilnehmer aus aller Welt treffen sich zu einem Wissenstest. „Der Modus ist einfach", erklärt der Seminarleiter, „ich nenne ein Zitat, Sie sagen mir, wer es wo und wann gesagt hat: Vom Eise befreit sind Strom und Bäche ..." Eisiges Schweigen, bis sich ein Japaner meldet: „Johann Wolfgang von Goethe, Faust, Osterspaziergang, 1806." Alle murmeln anerkennend, der Seminarleiter nennt das nächste Zitat: „Der Mond ist aufgegangen, die goldenen Sternlein prangen ..." Wie aus der Pistole geschossen kommt die Antwort vom Japaner: „Matthias Claudius, Abendlied, 1782." Die anderen Teilnehmer sehen betreten zu Boden, als der Seminarleiter wieder loslegt: „Festgemauert in der Erden ..." „Schiller", strahlt der Japaner, „das Gedicht von der Glocke, 1799." In der ersten Reihe murmelt einer der Manager: „Scheiß Japaner!" Wieder ertönt die Stimme des Japaners: „Max Grundig, CEBIT, 1982!"

http://www.witze-fun.de/witze/witz/9724

Deutsche über Japaner

4.2 Japaner über Deutsche

„Japaner sagen viel ohne Worte." Das ist nicht nur eine Meinung über die Japaner, sondern über viele östliche Kulturen, vielleicht auch ein Ausdruck des Nichtverstehens. Die traditionelle japanische Kultur des Schweigens besagt natürlich nicht, dass die Japaner ihre Meinung nicht äußern, wenn gleich Einiges darauf hindeutet, dass sie generell weniger sprechen. Jedenfalls findet im Netz ein reger Meinungsaustausch dazu statt. Was allerdings das Ausland betrifft, haben viele Japaner das Gefühl, von der Welt nicht verstanden zu werden. Über die Deutschen lassen sie sich ausführlich aus.

> Die Deutschen sind ernst und pünktlich. Das trifft auf ca. 70 Prozent der Deutschen nicht zu. Die Deutschen lieben Literatur und klassische Musik. Das trifft auch auf ca. 70 Prozent der Deutschen nicht zu. Das Bild des Kulturvolks, das die Japaner von den Deutschen haben, ist in einem gewissen Sinne ein Vorurteil. [...] Die Japaner, die in Deutschland Musik oder Kunst studieren, sagen schockiert: „Die Deutschen sind überraschenderweise vulgär." [...] Ich denke auch manchmal so. Das Titelbild der in Deutschland populärsten Zeitung ist die nackte Frau. Echt vulgär! [...] Übrigens, die Deutschen trinken Bier, aber nicht jeden Morgen.
> http://www.dzgo.jp/cl_m01.htm

Und wie sieht es im Detail aus?

Die Deutschen sind ernst und gewissenhaft.

> Die Beschäftigten am Pariser Flughafen traten in den Streik. Aber nur die Arbeiter aus zwei Ländern kamen wie immer zur Arbeit ... Die Japaner und die Deutschen!
> http://yellow.ribbon.to/~joke/nation.html

Was ist der Grund? Das japanische Wort *majime* oder *kimajime* wird auf Deutsch meist mit „ernst", „gewissenhaft" oder „seriös" wiedergegeben. Aber natürlich haben wir es hier mit einem Übersetzungsproblem zu tun. **Kein Wort hat in einer anderen Sprache ein Äquivalent. Immer ist die Verwendung anders und immer schwingen andere Assoziationen mit.** Das kann bei der Formulierung von Stereotypen besonders relevant sein. Denn **Wortbedeutungen sind auch so etwas wie Stereotype** und, wenn man sie transferiert, kann etwas Anderes daraus werden.

Interessant ist, dass die Japaner sich uns in puncto Gewissenhaftigkeit durchaus seelenverwandt zu fühlen scheinen. Das ist auch die Urteilsbasis dieser Japanerin, die an einem deutschen Mythos festhalten möchte:

> Die Mitbewohnerin
> Auch der Vermieter klagte darüber, dass sie das Rauchverbot nicht einhält. Ich hoffte, dass sie keine Deutsche ist. Aber ich erfuhr von dem Vermieter, dass sie eine Deutsche sei. Es gibt also auch solche Deutsche.
> http://geocities.yahoo.co.jp/gl/usus_magister_optimus/view/20080401/ 1207015360

Die Deutschen sind pünktlich, genau und sauber.

Japaner sprechen von *kichōmen* vor allem im Zusammenhang mit Deutschen. Bemerkenswert wieder, **dass auch prinzipiell positive Stereotype negativ gesehen werden können,** wenn sie in übertriebener Ausformung gesehen werden.

> Ich freute mich schon darauf, sie zu besuchen, da ich viel zum deutschen Haushalt gehört habe. Sie wischen sogar zum Schluss das Spülbecken ab, habe ich gehört. Aber nicht alle Deutschen sind so ordentlich, oder?
> Ja doch, bei ihr war es schrecklich ordentlich!!!
> http://www.mypress.jp/v2_writers/moony/story/?story_id=1680802

> Deutschland ist im Umweltschutz führende Nation, in der die Sauberkeit für wichtig gehalten wird. Was ich aber in diesem Land gar nicht verstehe, dass den Deutschen Hundescheiße nichts ausmacht. [...] Jedenfalls was

Hundescheiße betrifft, ist es in Japan viel sauberer.
http://www.eonet.ne.jp/~hanshansa/kankyoumondai2.htm

Frage: Wie viel Hunde gibt es hier und dort? Wer betreut sie und wie?

Die Deutsche Bahn ist nicht typisch deutsch. Ich denke, eines der deutschen Charakteristika ist Pünktlichkeit. Aber die Deutsche Bahn ist ständig unpünktlich! In Japan kommt der Zug immer sehr pünktlich! Das ist prima!!
Wieso ist nur die Bahn so? Sonst sind die Deutschen sehr pünktlich.
Ich weiß nicht warum. Aber ich habe gehört, dass die Bahn oft streikt.
Die Fahrgäste sollten streiken ... 30 Minuten Verspätung ist doch zu viel!
http://blog.livedoor.jp/willkommen_deutsch/archives/64712386.html

Das sehen wir Deutschen auch so. „Pünktlich wie die Bundesbahn" wird jetzt eher ironisch verwendet. Hat die Schreiberin aber all dies wirklich erlebt? Oder wuchert ein Stereotyp weiter, in Phantasie und Talk?

Peinliche Genauigkeit
Als wir auf der Straße unser Auto eingeparkt hatten, näherte sich uns eine ältere Frau und sagte: „Sie, Ihr Auto steht außerhalb der weißen Linie. Parken Sie Ihr Auto richtig ein." Wir sind erschrocken und schauten auf unser Auto. Das Heck des Autos war einen oder zwei Zentimeter außerhalb der weißen Linie.
http://detail.chiebukuro.yahoo.co.jp/qa/question_detail/q138345423

Als gute Kenner der Deutschen würden wir hier allerdings etwas anders deuten. Es handelt sich um einen Ausdruck des Normbewusstseins, das der Frau offenbar das Recht gibt, andere zurechtzuweisen. Deutsche Akkuratesse ist oft mehr für die anderen als für einen selbst gedacht – und eher zum Einklagen.

Die Deutschen sind fleißig.

Fleiß ist für Japaner ein Thema. Und hier sind die Deutschen wie die Japaner. Aber vielleicht muss man doch wenigstens ein bisschen besser sein.

Sind die Deutschen fleißig?
Ich dachte, die Deutschen sind fleißig. Aber! Sie machen am Freitag schon um 15 Uhr Feierabend. Sie dürften eher kein fleißiges Volk sein. Der Grund dafür könnte eine bestimmte Überzeugung sein:
Arbeiten sei Buße für Sünden im vorangegangenen Leben, deshalb sei derjenige, der viel arbeitet, ein schlechter Mensch!
Dann sind die Japaner, die 24 Stunden arbeiten können, die Oberschurken-Nation!!!! Bin ich etwa ein kleiner Bösewicht?
http://navy.ap.teacup.com/tori/4.html

Eine wirklich interessante These über die Arbeitswut. Wie kommt man darauf? Frage ist immer, was soll man tun, wenn ein Stereotyp durch Erfahrung in Frage gestellt wird? Wenn es mit neuem Wissen nicht zusammenpasst? Hier wird es mit einem spekulativem Zitat am Leben erhalten. Auch im nächsten Beispiel wird eines gegen Erfahrung verteidigt.

Meine Erfahrung
In eine Lebensmittelherstellungsfirma, mit der ich zu tun hatte, wurde ein Großräucherkessel (von MAN) eingebaut. Der Techniker aus Deutschland machte, egal was kam, immer Punkt 12 Uhr Mittagspause und um 15 Uhr Bierpause und arbeitete ab 17 Uhr absolut nicht mehr. Ich bin sehr enttäuscht, da ich immer dachte, die Deutschen seien fleißig.
Hingegen sah ich bei der Renovierung eines Restaurants einen italienischen Innenausstatter die ganze Nacht hindurch arbeiten. Das überraschte mich, weil ich dachte, die Italiener sind nicht fleißig.
Man kann die Sache aber auch so sehen: Die Deutschen sind pünktlich. Sie arbeiten genau und nehmen ihre freie Zeit auch genau. Dagegen halten die Italiener den Termin nicht ein und bummeln bei der Arbeit.

Die Diskussion über Volkscharakter ist zum größten Teil impressionisti-sche Kritik, denke ich.
http://www.warbirds.jp/ansq/6/F2000697.html

Das sind Deutungsmuster, die wahrlich interkulturell gedacht sind. **Wer Ste-reotypen liebt, kann leicht von der erlebten Realität enttäuscht sein**, ähnlich wie der Idealist, der Idealen anhängt.
Schon kleine Unterschiede kann der Stereotypenträger aufblähen, wenn erst mal das Thema in der Welt ist. Da ist auch kompetitives Denken angesagt, wie wir hier sehen können:

Die Japaner und die Deutschen: Wer ist fleißiger?
Es gibt das Bild der Deutschen, dass sie ernst und fleißig sind. Deshalb heißt es, dass die Japaner und die Deutschen ähnlich sind. [...] Was den Fleiß betrifft: Für Japaner ist das Bemühen an sich wichtiger als das Er-gebnis. Doch die Deutschen bemühen sich, das Ziel zu erreichen, für sie ist das Ziel wichtiger als der Prozess. Wenn sie wissen, das bringt keinen Ge-winn, dann schwindet die Motivation.
http://ethno.blog13.fc2.com/blog-entry-143.html

Stereotype stehen nicht irgendwo grundlos im Kopf herum: Sie sind begründet, begründet in einem festen Netz, in einer Art Weltbild. Auch darum sind sie so haltbar. Sie werden gehalten, selbst wenn mal was dagegen spricht. Einmal ist bekanntlich keinmal – und zweimal ist immer.

Die Deutschen sind groß.

Die Deutschen sind groß. Von daher ist auch Nowitzki groß.
Die Deutschen sind geschickt. Daher wirft Nowitzki so geschickt Körbe.
Die Deutschen sind nicht so schnell. Daher kann's Nowitzki mit der Ver-teidigung nicht so gut ... oder?
Mit Tempo angreifen! Die japanische Nationalmannschaft!
http://bbbb4132.buzzlog.jp/e4468.html

Eigentlich haben wir es hier mit einem Spiegelstereotyp zu tun: Wer groß ist, findet die anderen klein. Wer klein ist, findet die anderen groß. Wer viel spricht, findet die anderen verstockt. Wer wenig spricht, findet die anderen geschwätzig.

Aber mit dem Spiegel wird auch gespielt.

> Die japanischen Männer erledigen es stehend auf der Toilette. Dabei müssen sie (in Deutschland) oft auf Zehenspitzen stehen.
> http://www5f.biglobe.ne.jp/~willkommen_deutschland/kuni.html#gross

> Ach ja. Die Duschkabine ist sehr klein. Deshalb stoße ich mir den Kopf jedesmal an die Wand, wenn ich mich bewege. Die Deutschen müssen größer sein als die Japaner. Trotzdem ist die Duschkabine so klein. Wieso!!!???
> http://blog.goo.ne.jp/chokochokon/e/a9b1634a460f8f426e52398d60709

> Die Essgewohnheiten in Deutschland sind überraschenderweise schlicht. Ich wundere mich darüber, dass die Deutschen bloß mit Kartoffeln und Wurst so groß werden.
> http://detail.chiebukuro.yahoo.co.jp/qa/question_detail/q138345423

Und dafür gibt es noch einen anderen Grund:

> Weil Deutschland Biernation ist, sind die Deutschen alle sehr groß.
> http://kuraoka.blog70.fc2.com/blog-entry-11.html

Stereotype dienen nicht nur der Ab- und Ausgrenzung. Sie können auch Gemeinsamkeiten herausstellen. Da ist ihre genuine Sozialfunktion – der Zusammenhalt der eigenen Gruppe – ausgedehnt auf die anderen:

> Die Japaner und die Deutschen sind ähnlich?
> * Man sagt, die Deutschen sind ernst, da sind sie den Japanern ähnlich. Sie sind genau wie die Japaner.

- In Deutschland gibt es weniger Ijime (Mobbing) als in Japan, deshalb sind die Deutschen und die Japaner nicht ähnlich.
- Die Deutschen beteiligen sich sogar an den amerikanischen rassistischen Webseiten. So viele rassistische Deutsche gibt es. Aber andererseits gibt es auch viele Japanfreunde. Alles kompliziert.
- Da in Deutschland das Leistungsprinzip herrscht, gibt es selbstverständlich die Diskriminierung inkompetenter Personen. Ob man das Diskriminierung nennen soll, ist fraglich. Die Fähigkeiten werden korrekt eingeschätzt. Typische Japaner kommen mit der deutschen Gesellschaft nicht zurecht.
- Die Japaner und die Deutschen. Sie sind völlig anders.
- Die Japaner und die Deutschen sind nicht ähnlich. Das war's.
- Genau. Obwohl die beiden nicht besonders ähnlich sind, gibt es Unbedarfte, die die Ähnlichkeit beider Völker behaupten.
  http://academy6.2ch.net/test/read.cgi/geo/1073484669/150

Aber so kommt man auch zu unterschiedlichen Schlussfolgerungen bezüglich der Gemeinsamkeiten.

Die Japaner und die Deutschen verstehen sich gut, hört man oft. Die Deutschen sind fleißig und ordentlich, präzise, aber auch rational. Die Volkscharaktere beider Länder sind sehr ähnlich.
http://www011.upp. o-net.ne.jp/bpcafe/331.htm

Hilft das der Völkerverständigung? Offensichtlich entspricht das Bild, das sich die Japaner häufig von den Deutschen machen, dem Selbst-Bild der Japaner. Überhaupt gibt es die Meinung, dass die Japaner sehr mit sich selbst beschäftigt sind.

Öfter als das Wort „gaijin" (Ausländer) höre ich hier nur: „Nihonjin" (Japaner). In jedem zweiten Gespräch, dass ich belausche, wird mindestens einmal thematisiert, was Japaner können/dürfen/machen oder nicht. Selbst die alltäglichsten Dinge werden hier vor dem Hintergrund der als

nationaltypisch angesehenen Eigenschaften reflektiert.
http://www.falk-in-japan.de/0427ba998012b6201/00000096de121a205/
00000097570f5a921/index.html

Das wäre dann ein guter Trick: **Sich mit sich selbst beschäftigen, indem man sich vordergründig mit anderen beschäftigt.**
Und ist das nicht ein bisschen der tiefere Sinn der meisten Stereotypen?

Japaner über Deutsche

Fazit

Stereotypen sind oft oder meist kontrastiv angelegt. Implizit immer, weil man mit eigenen Augen die anderen betrachtet, sie auf eigenem Standard wertet. Ihre Folie ist das Selbstverständnis der eigenen Gruppe. Das mag in der Reflexion so weit gehen, dass man einem TIT-for-TAT-Prinzip folgt: Ich mag die nicht, weil sie mich nicht mögen.
Ein paar strukturelle Details noch:

- Stereotype haben wir auch über weit Entfernte.
- Stereotype sind öfter Konglomerate, die sich gegenseitig stützen. Sie können in Netzen aufeinander bezogen sein.

- Es gibt Methoden der Stereotypenbildung und der Immunisierung.
- Stereotypen vergleichen, können Unterschiede betonen, selten Ähnlichkeiten.
- An Stereotypen, die die anderen dumm aussehen lassen, hält man besonders gern fest.
- Positive Stereotype werden gern reinterpretiert, damit sie nicht ganz so positiv bleiben.
- Stereotype sitzen fest in Kultur und Sprache. Man kann sie nicht einfach übersetzen.

5. Von innen gesehen?

Dies ist eine kleine ungeordnete Sammlung von Äußerungen türkischer Migranten in Deutschland zu ihrer Sicht der Deutschen. Sie könnten besonders interessant sein im Hinblick auf die verbreitete These, dass Stereotypen überwunden würden, wenn die Menschen den Augenschein haben oder einander besser kennen lernen. Allerdings könnte man auch erwarten, dass im ständigen Kontakt und in ständiger Auseinandersetzung der Fokus – mit der Stereotypenbrille – auf den Unterschieden liegt. Wie kommt es aber, dass hier vor allem negativ stereotypisiert wird? Dient das der Selbstbehauptung einer Minderheit? Oder wird nur zurückgeschossen?

buraya getirilirken saglik kontröllerinden geciririlmisler. ciceklerle kutlamalarla karsilanmislar. ALMANYAYA HOSGELDINIZ pankatlariyla karislasmislar. babam bunlari hala anlatir. ve babalarimiz tek bir almanin bile bulunmadigi ayri LAGERlara yerlestirilmisler. almanlardan ayri calistirilmislar herzaman. neden ozamanlari türkleri almanlarin arasina karistiripta hem almanlari tanimaya hem almanca ögrenmeye hemde simdi entergasyon dedikleri seyi uygulamalarina izin verilmedi. neden türkleri bir basina birakilip: gel calis parani al sonrada ne yaparsan yap dendi. bundan ziyade bizim bellirli bir kültürümüz var. örf ve adetlerimiz var. inandigimiz bir allah bir din var.
www.politikcity.de/forum/.../4163-ist-integration-9.html
Als sie hierher geholt wurden, mussten sie auf ihre Gesundheit gecheckt werden, sie wurden mit Blumen begrüßt und Plakaten, auf denen „Herzlich Willkommen in Deutschland!" stand. Mein Vater erzählt immer noch von dieser Zeit. Dann wurden unsere Väter in Lagern untergebracht, wo kein einziger Deutscher lebte. Immer arbeiteten sie von Deutschen getrennt. Warum hat man damals nicht die Türken und die Deutschen zusammengebracht? Dann hätten die Türken schneller und besser Deutsch gelernt und die Deutschen näher kennen gelernt. Dann wäre die Integration möglich gewesen. Warum hat man die Türken isoliert, und man sagte zu ihnen: Komm, arbeite hier, nimm dein Geld und geh dann zurück nach Hause?

Außerdem haben wir andere Sitten und Gebräuche, wir haben eine Religion, in der wir an Allah glauben.

In meiner Freizeit mache ich am liebsten ... [...] seker gibi yediler iste almanlar biz türkleri onlarla tanidi caliskan dogru ve saygili kisiler olarak http://community.gezegen.de/Community/Profil/ID_35161_ ALMANCI.htm
In meiner Freizeit mach ich am liebsten ... [...] Die Deutschen haben die Türken „wie Süßigkeiten genossen" (= türkische Redensart), weil sie uns damals so kennen gelernt haben, als fleißige, ehrliche und respektvolle Menschen.

Aber ist das, was die Deutschen tun, korrekt und menschlich? Natürlich nicht. Es heißt ja: Entweder ihr liebt uns oder ihr verlasst uns. Aber nicht nur die Deutschen denken so. Es ist eine verbreitete Meinung in jedem Land. Auch in der Türkei sagt man zu manchen Leuten: Wenn es euch hier nicht gefällt, dann geht doch nach Arabien.
http://www.gurbetciler.biz/forum/thread.php&3Fpostid&3D3+&22O+ ALMANLAR+ki&22&hl=de&ct=clnk&cd=1&gl=de

Almanlar ne kadar kuralcıysa Türkler o kadar kural tanımaz. Türk aileler ne kadar kalabalıksa Almanlar o kadar az. Bütün bunlara yemeiçme kültürlerindeki farklılıklar da eklenince önümüze 'ortaya karışık' bir tablo çıkıyor.
http://www.google.de/search?hl=de&safe=off&rlz=1G1GGLQ_DEDE 296&q=%22Tipik+T%C3%BCrk%2C+Tipik+Alman%22&btnG= Suche&meta=
Die Deutschen lieben Regeln, die Türken kennen keine Regeln. Die Türken haben große Familien, die Deutschen lieben kleine Familien. Wenn wir zu diesen Eigenschaften noch die Ess- und Trinkkultur hinzufügen, entsteht ein chaotisches Bild.

Bu Almanlar cok acayip bir millet. Yere tükürene bagiriyorla. Yetmeyyo, polizay. Adamin gülesi geleyyo, gardas ...
http://www.asm-koeln.de/cgi-bin/guestbook.php.cgi?gbook=0&action= view&start=9
Diese Deutschen sind ein seltsames Volk. Wenn man auf den Boden spuckt, schimpfen sie, rufen die Polizei. Wenn man auf der Straße ...
Man kann ja nur darüber lachen, Bruder.

Und hier noch ein paar lose Funde.

Wisst ihr, wir haben hier keine Angst vor den Nazis, denn sie sind ehrlich und sagen offen ihre Meinung.
Diejenigen, vor denen wir eigentlich Angst haben, sind die, die angeblich mit uns gut auskommen, die suchen dann besonders solche von uns als Gesprächspartner aus, die nicht gut Deutsch sprechen, um uns diskriminieren zu können.

Die Deutschen mögen Zucker so gerne, habe ich gehört. Sie machen sogar Popcorn mit Zucker, aber ich hab's noch nie probiert.

Die Deutschen lieben keine Kinder. Die Türken bleiben bei Rot nicht an der Ampel stehen ...

Wir arbeiten hier seit Jahren und zahlen wie die Deutschen auch unsere Steuern. Wir zahlen sogar mehr Steuern, weil wir mehr als die Deutschen arbeiten. Es gibt zwar einige schwarze Schafe, aber in der Regel haben wir keine Probleme mit der Polizei. Wir besuchen hier die Schule und genießen hier die Ausbildung. Wir bemühen uns, die hiesigen Regeln zu achten.
Und was wollen die Deutschen von uns noch? Wir sollen wie die Deutschen leben, aber wie leben denn die Deutschen?
Der Deutsche jagt seine Kinder fort, sobald sie 18 werden, egal ob sie schon berufstätig sind oder nicht!!!

Der Deutsche gibt seiner 14jährigen Tochter Sexualunterricht und gibt ihr Verhütungsmittel in die Hand, wenn sie mit einem Mann schlafen möchte.

Der Deutsche spricht mit anderen Männern über seine eigene Frau, wie gut sie im Bett ist usw. Außerdem ist er stolz darauf, wenn andere Männer seine Frau anschauen und hübsch finden.

Der Deutsche erlaubt seinen Kindern, dass sie in seiner Anwesenheit mit ihren Geliebten schmusen, ja beinahe sogar Sex machen.

Auf diese Wertvorstellungen können wir niemals verzichten, wie sehr man uns auch zu integrieren versucht.

Der Deutsche denkt nur daran, Schweinefleisch zu essen und jeden Abend Bier zu trinken.

Der Deutsche feiert ein unanständiges Fest wie Fasching, und nach der Faschingszeit verdienen die Frauenärzte am meisten Geld, weil es in dieser Zeit die meisten Abtreibungen gibt.

Die meisten Deutschen glauben nicht an Gott. Sie sind Atheisten.

Der Deutsche hält nur seine Sprache, Kultur, Sitten und Gebräuche für die besten und erkennt die Wertvorstellungen anderer Völker nicht an.

Der Deutsche weiß im Grunde, dass wir Türken gescheiter sind und ist deshalb neidisch.

Die Deutschen erwarten von uns, dass wir so werden wie sie, ohne Sittsamkeit, ohne Religion. Ich würde so etwas niemals dulden, obwohl ich in Deutschland geboren bin und die deutsche Staatsangehörigkeit habe. Meine Kinder werde ich nach türkischen Sitten und Traditionen erziehen, ich tue alles, um sie würdig zu erziehen.

6. Gemeiner Stereo-talk: Nachbarn über die Deutschen

Nun glauben wir, Ihnen diverse Funde präsentieren zu können, die Sie sozusagen zur Trainingsarbeit verwenden können.

Spanier über Deutsche

Aggressive Deutsche

„¡Las mujeres no saben conducir!" „¡Los hombres son insensibles!" „¡Los padres no entienden!" „¡Que más se puede esperar de un adolescente!" Las nociones preconcebidas y las generalizaciones abundan: los políticos son todos corruptos, los alemanes agresivos ...
http://www.fortunecity.es/losqueamamos/pieza/99/silosseres.s
fueranpecesdecolores.htm
„Frauen können nicht Auto fahren!" „Männer sind unsensibel!" „Eltern verstehen nichts!" „Was kann man denn noch von der Jugend erwarten!" Vorurteile und Generalisierungen gibt es im Überfluss: Politiker sind alle korrupt, Deutsche sind aggressiv.

Diesen Stil erkennen wir jetzt leicht: Jemand spricht über Stereotype. Er teilt sie nicht, sondern distanziert sich, will diese Denkweise kritisieren. Dieser Habitus ist die bevorzugte Weise der Kritik. Aber wird das wirken? Wenn sie schon nicht selbst Stereotypenträger sind, dürfen wir sie doch als Zuträger sehen? Die Vorführung aus der Distanz ist auf jeden Fall eines der Ziele dieses Büchleins.

Deutsche sind Trinker.

En Europa se puede decir que hay cierta cultura de beber, pero ¿quién bebe más? Los suecos, los británicos, los españoles. Los alemanes son los bebedores más compulsivos en Europa, con casi una de cada cinco personas que cree que „el propósito de beber es emborracharse".
www.terra.com/salud/articulo/html/sal3707.htm?PPC=sumarios
Man kann sagen, dass es in Europa eine gewisse Trinkkultur gibt. Aber wer

trinkt am meisten? Die Schweden, die Briten, die Spanier? Die Deutschen sind die gewaltigsten Trinker in Europa, von denen jeder fünfte denkt, dass „das Ziel des Trinkens sich zu betrinken ist".

Deutsche sind fleißig und belehrend, nicht arrogant.

Die Deutschen sind von Natur aus fleißig (mit einigen kaum bemerkenswerten Ausnahmen) und haben immer Zeit, den anderen Wissen zu vermitteln, Arbeitsformen zu empfehlen oder jeden Zweifel zu klären, ohne Arroganz. Sie nehmen sich die nötige Zeit.

http://www.marketingdirecto.com/noticias/noticia.php?idnoticia=14950

Deutsche sind kalt, rigoros und nicht offen.

Zu allererst: Die Deutschen geben im Rest Europas kein sehr vorteilhaftes Bild ab. „Mein Bild von den Deutschen? Kalt und rigoros", sagt Marc, ein französischer Informatiker portugiesischer Herkunft. „Die, die in den Ferien nach England kommen, scheinen nicht sehr offen zu sein", bestätigt Bella, eine 40-jährige Londonerin.

www.cafebabel.com/es/article.asp?T=T&Id=936

Deutsche sind fleißig.

Dort hören wir, dass jeder Argentinier Tangotänzer ist, alle Brasilianer Sambatänzer. Die Nordamerikaner sind „Krieger", die Franzosen Eroberer, die Deutschen sind fleißig und die armen Portugiesen. (Darüber kann ich nicht sprechen, weil ich einen Verwandten aus Leiria habe.)

http://www.todotango.com/spanish/cafe/respuestas.asp?id=184711

Ernste Deutsche

Die Deutschen, Österreicher und Schweizer: Sie sind ernste, stolze, ausgeglichene, zielstrebige, nette, verständnisvolle, geduldige, gebildete, kreative, intelligente, ehrliche Menschen von starkem und direktem Charakter. Sie verabscheuen Lügen! Ihnen geht die Wahrheit über alles und alle. Für sie steht die Ehefrau immer an erster Stelle, ihr Wunsch hat Vorrang.

www.tucan-tours.com/mediacion_de_parejas.htm

Kalte Deutsche

Los alemanes, fríos y cuadriculados, los españoles, extravertidos e irresponsables. Ninguno de estos tópicos se ajusta a la realidad, según los resultados de las encuestas de personalidad a más de 4. 000 ciudadanos de 49 países.

www.sinembargo.net/news/sociedad

Die Deutschen, kalt und engstirnig, die Spanier, extrovertiert und verantwortungslos. Keiner dieser Gemeinplätze kommt der Wirklichkeit nahe, so das Ergebnis einer Umfrage unter mehr als 4000 Bürgern aus 49 Ländern.

Los acreedores italianos y alemanes han sido los más agresivos. Sus representantes han afirmado que es imposible sentarse a negociar.

http://www.americaeconomica.com/numeros4/231/noticias/
blargentinama.htm

Die italienischen und deutschen Gläubiger waren die aggressivsten. Ihre Vertreter haben bekräftigt, dass es unmöglich sei, sich auf Verhandlungen zu einigen.

Ordentliche Deutsche

Es heißt gewöhnlich, dass die Fußballnationalmannschaft einiges über das Volk aussagt, das sie repräsentiert: die Engländer schwungvoll, die Deutschen ordentlich, die Holländer sympathisch, die Franzosen ideenreich und die Italiener vorsichtig. Und die Spanier? Die Spanier, ach, die Spanier!

www.libertaddigital.com/opiniones/opi_desa_19212.html

Verantwortungsbewusste, seltsame Deutsche

Die deutschen, ernsten, verantwortungsbewussten, robusten Mandatsträger mit Mercedesmotor machen staunen. Kanzler Gerhard Schröder war Protagonist einer Zeitungskeilerei, die sich exklusiv auf sein Haar konzentrierte, der Hahn, den er ritt, um zu zeigen, dass sein Haar nicht gefärbt war!

www.elperiodicodearagon.com/noticias/imprimir.asp?pkid=245129

Italiener über Deutsche

Alle Deutschen sind gleich.

I tedeschi sono tutti uguali, tranne tutti quelli che conosco io.

http://www.viaggio-in-germania.de/tedeschi0.html

Alle Deutschen sind gleich, darunter auch alle, die ich kenne.

Ausländerfeindliche Deutsche

E il razzismo, la xenofobia? Esistono, è inutile negarlo. Ma il turista italiano difficilmente si accorgerà, lo straniero che vive in Germania lo nota invece di più, anche questo è inevitabile.

more hits from: http://www.viaggio-in-germania.de/sicurezza.html

Und der Rassismus, die Ausländerfeindlichkeit? Sie existieren, nicht zu leugnen. Aber der italienische Tourist wird sie schwer sehen, der Ausländer, der in Deutschland lebt wird es dagegen umso stärker erfahren. Auch das ist nicht zu vermeiden.

Deutsche haben gewisse Seltsamkeiten.

Ma scherzi a parte: è innegabile che ci siano delle caratteristiche più o meno tipiche che distinguono tedeschi e italiani. Ci sono dei comportamenti, delle abitudini, delle piccole „stranezze", che noteranno tutti gli italiani quando conoscono un po' meglio i tedeschi.

http://www.viaggio-in-germania.de/tedeschi0.html

Aber Scherz bei Seite: Es ist nicht zu leugnen, dass es mehr oder weniger typische Charakteristika gibt, die Deutsche und Italiener unterscheiden. Es gibt Verhaltensweisen, Gewohnheiten, kleine Seltsamkeiten, die alle Italiener bemerken, wenn sie die Deutschen ein bisschen besser kennen lernen.

Deutsche und die Vergangenheit

Ich werde weiterhin nicht beipflichten. Nicht die deutsche Nation hat Verbrechen begangen. Eine juristische Person hat kein Existenzbewusstsein. Die Schuldigen sind fast alle tot.

http://www.politicaonline.net/forum/showthread.php?t=6278

Deutsche und Nazis

Eine große vereinte Gesellschaft aus den verschiedensten Gründen, auf der Basis der Fehler weniger. Nicht alle Deutschen sind Nazis, nicht alle Amerikaner stimmen für Bush, nicht alle Russen sind Kommunisten.

http://www.sorrisi.com/sorrisi/scheda/art023001016143.

Deutsche ziehen sich schlecht an, benehmen sich schlecht, sind peinlich.

Die italienischen Alkoholiker betrinken sich zu Hause und gehen nicht raus – aus Scham. Ein betrunkener Deutscher geht auf den Platz und lässt die ganze Stadt an seinem erbärmlichen Zustand teilhaben! In Deutschland wird sich betrinken, sich schlecht anziehen, sich unschicklich benehmen, sich nicht um die Meinungen der Nachbarn kümmern praktisch als Zeichen der persönlichen Freiheit gesehen. Es ist eine Art sich zu unterscheiden, aus dem täglichen Leben auszubrechen. Wenn die Deutschen (oder besser: gewisse Deutsche) im Ausland im Urlaub sind, ist diese Tendenz noch stärker, weil im Ausland die sozialen Kontrollen nicht existieren, die es in Deutschland gibt.

www.viaggio-in-germania.de/ubriac.html

Deutsche sind wenig kommunikativ, aber ehrlich.

Die Deutschen sind wenig kommunikativ, aber im Schnitt ziemlich ehrlich (was man so als Durchschnitt nehmen kann!) Ciao.

http://forums.ebay.it/thread.jspa?forumID=26&threadID=300037330

Deutsche sind grausam, gewissenhaft.

Es genügt zu sagen, dass es Deutsche sind, und manche wissen sofort, dass die Deutschen grausam sind oder dass alle Deutschen gewissenhaft sind.

http://canali.libero.it/affaritaliani/infrancianoncisonofreancesi.
html?pg=1

Deutsche, dumm, Sauerkraut, Bier, Oktoberfest

Aber was bleibt ihnen in ihrem langweiligen Land, elendes Oktoberfest, löffeln ihr Sauerkraut, betrinken sich mit Bier. Dumme laufende Würstel.

http://liberoblog.libero.it/leggi_commenti.php?idn=bl880.phtml&
group=2

Das ist natürlich keiner der Italiener, die mit der Reisegesellschaft zum Oktoberfest einlaufen. Oder doch?

Deutsche lieben Italiener.

Mein Freund ist Deutscher und manchmal zieht er mich auf, indem er
mich Spaghettifresser oder Ähnliches nennt. Aber er versichert mir, dass er
scherzt. Die wirklich kultivierten Leute kennen die Italiener. Die Deutschen denken, dass die Italienerinnen sehr schön, wenn nicht gar elegant
und süß sind.
http://liberoblog.libero.it/leggi_commenti.php?idn=bl880.phtml&
group=2

Deutscher Stammtisch, Kneipe

Du musst dir unter anderem vergegenwärtigen, dass die Deutschen, die in
der Kneipe mit Fremden zusammensitzen, aus der niedrigsten sozialen
Schicht sind, die die gegenwärtige Arbeitslosigkeit (Skandal!!!) weiter ab-
steigen ließ. Diese guten Leute gehen in die Kneipe mit den Türken und
trinken Brüderschaft, gehen dann nach Hause und beklagen sich über den
Türken und den Polen, der ihren Arbeitsplatz weggenommen hat.
http://www.politicaonline.net/forum/showthread.php?t=198502

Ehrliche Deutsche

Etwas, was ich bei allen gefunden habe, ist die Ehrlichkeit: Man kann sicher sein, wenn ein Deutscher sagt, dass er dein Freund ist, sagt er die
Wahrheit. Echte Freunde zu haben, ist für einen Deutschen eine der wichtigsten Sachen, der Freund kommt in vielen Fällen vor der Familie.
http://www.intercultura.it/P03.001/studenti/dicono/
ragazzi_italiani.php?paese=germania

Professionelle Verkäufer

In Europa sind die besten Verkäufer: Deutsche wegen Professionalität, Franzosen wegen ihrer Kollektionen, der kommunikativen Fähigkeiten.
http://forums.ebay.it/thread.jspa?messageID=300489059&tstart=0

Rassistische Deutsche

Zum Beispiel: Morgen das Halbfinale gegen Brasilien, aber die Gedanken sind beim Sonntag: Wir wollen uns für unser Volk rächen, das in diesem Land lebt. Die Deutschen sind Rassisten.
http://www.viaggio-in-germania.de/tedeschi0.html

Traurige, humorlose Deutsche

Sind sie traurig? Sie sind deutsch. Die Deutschen sind traurig und haben wegen ihrer Sprache wenig Humor. Die schottischen Forscher von St. Andrew haben die Melodie der Sprache und die Gesichtsmimik der Deutschen analysiert und kamen zu folgendem Ergebnis: Da sie gezwungen sind, die Lippe nach unten zu ziehen und gutturale Laute von sich zu geben, verliert das teutonische Volk die Lust am Lachen.
http://p206.ezboard.com/ftom59frm5.showMessage?topicID=512.topic

Unsympathische Deutsche

Ohne Bruno hat die Weltmeisterschaft keinen Sinn mehr. Die Deutschen tun immer ihr Bestes, um sich unsympathisch zu machen. Aber sie sind nicht masochistisch.
http://www.settore4cfila72posto35.net/commenti.asp?ar=y&idp=187&anno=2006&str=0

Franzosen über Deutsche

Deutsche sind egoistisch.

L'action sur l'économie des Américains et des Allemands est égoïste : elle exporte, en effet, le chômage en dehors de leurs pays.
http://www.les4verites.com/les4verites/articles/342_23032002a.htm

In Wirtschaftsdingen sind die Deutschen und die Amerikaner egoistisch: Sie exportieren in der Tat die Arbeitslosigkeit aus ihren Ländern.

Deutsche sind steif, kalt.

Un des premiers préjugés concernant le peuple allemand est qu'il ne manifeste pas un sens de l'humour exacerbé, et est peu enclin aux festivités. Les étrangers, et notamment les français voient toujours les allemands au premier abord comme des gens froids.

http://www.geokey.de/pm/openwiki/wakka.php?wakka=Stage
EnAllemagne/Republique/Societe&show_files=1

Eins der wichtigsten Vorurteile über die Deutschen ist, dass sie keinen ausgeprägten Sinn für Humor haben und dass sie nicht zum Feiern neigen. Die Ausländer und vor allem die Franzosen sehen die Deutschen in erster Linie als kalte Menschen.

Deutsche lieben Frankreich.

En effet, pour beaucoup d'Allemands, les Français sont de fins gastronomes et de bons connaisseurs en vins. D'après mes expériences en France, cela s'est vérifié. La cuisine est très bonne et le vin ne manque presque jamais.

http://www.unice.fr/edmo/index.html?page=newsletters/newsletter27/
kerstin27.htm

Tatsächlich sind für viele Deutsche die Franzosen feine Gastronomen und gute Weinkenner. Nach meinen Erfahrungen in Frankreich stimmt das. Die Küche ist sehr gut und der Wein fehlt fast nie.

Deutsche sind pünktlich.

In der Tat sind und bleiben die Bayern Deutsche. Alle Deutschen sind überpünktlich usw.

http://www.routard.com/comm_forum_message/374921.htm

Deutsche, arbeitsam, organisiert

Wenn ich von meinen belgisch-deutschen Ursprüngen spreche, denke ich bei dem Deutschen, dass er arbeitet und kalt ist. Aber alle meine Erinnerungen an Deutschland, im Gymnasium und im Verkehr, sagen: Es ist alles viel weniger strikt und organisiert.

www.allemagne-au-max.com/forum/pourquoi-les-francais-ont-ils-si-mauvaise-reputation-vt537.html

Deutsche, Bayern, Trachten, Oktoberfest

Für drei Wochen etwa, im Oktober, verlustiert sich ganz Deutschland mit dieser Vorstellung. Sie wird vom Fernsehen übertragen und erinnert sie alle an deutsche bayerische Folklore (bayerische Lieder, Trachten, ...).

http://www.fnege.net/pdf/02partie1/Allemagne.pdf+%22les+allemands +sont+toujours%22&hl=de&gl=fr&ct=clnk&cd=4

Deutsche, bayerische Trachten, Dialekt

Das Stärkste war dieser bayerische Opa (in Tracht und mit einem ganz unverständlichen Akzent!!), der schneller zählen konnte als sein Schatten.

http://gottferdom.blogspot.com/2002_12_08_gottferdom_archive.html

Deutsche sind gefährliche Nazis?

Natürlich! Die Deutschen sind noch immer gefährliche Nazis, die man ausrotten muss, wenn man da ist, nicht wahr?? Hätte es keine Kolonisierung gegeben, könntet ihr heute nicht auf uns spucken, üble Bande!

http://forums.france2.fr/france2/rendezvousavecvous/

Deutsche und Nazis

Die Nazis waren Deutsche (und doch nicht alle). Aber die Deutschen waren keine Nazis. Verstehst du die Nuance?

http://www.jeuxvideo.com/forums/1-59-19002-1-0-1-0-0.htm

Deutsche sind pünktlich.

Die Engländer trauen den Franzosen nicht, Bosnier sprechen kein Englisch und die Deutschen sind immer pünktlich. Tanovic spielt mit der Absurdität dieses Krieges, auch in der Wahl der Schauspieler: Kroaten.

http://www.plume-noire.com/cinema/critiques/nomansland.html

Deutsche sind ernst, kompetent.

Sehr gutes Buch von Johannes Stahl auf Deutsch bei Dumont, wirklich diese Deutschen machen die Sachen mit Ernst und kompetent, das ist nicht wie in Frankreich. Aber was mach ich noch in diesem Land der Arroganten.

http://bleklerat.free.fr/livres3.html

Deutsche kochen extrem fett.

Diese Deutschen kochen schrecklich fett, sowas hab ich noch nie gesehen.
http://celine.extrapounds.com/

Deutsche sind loyal, man kann sich auf sie verlassen.

Meine Brüder ihr habt Recht. Deutschland ist ein sehr entwickeltes Land, die Deutschen sind untereinander loyal, der Staat muss nicht so vorsichtig sein, er kann großes Vertrauen gegenüber seinem Volk haben, deshalb zählt Deutschland zu den entwickeltsten Ländern.

http://www.algerie-monde.com/forums/showthread.php?t=1526&
page=2

Disziplinierte, ordentliche Deutsche

Die Deutschen sind diszipliniert, sie überqueren die Straße nur bei Grün. Einmal war ich in Deutschland und habe ein Papier auf den Boden geworfen, da war ein Deutscher, der mir sagte, dass man das nicht dürfe, er war sauer.

http://www.algerie-monde.com/forums/showthread.php?t=1526&
page=2

Fleißige Deutsche, Freizeit

Nein, die Deutschen von heute sind nicht besessen von der Arbeit. Weniger noch als die Franzosen. Eher ist es die Freizeit, von der sie träumen.

http://www.amazon.fr/Cousins-par-alliance-Allemands-miroir/dp/
27467 0238X

Deutsche, kalt, traditionell, modern

Es gibt lächerliche Zuschreibungen, kalt, aber lebensfroh, traditionell, aber modern, wenn mir das jemand erklären könnte.
www.allemagne-au-max.com/forum/pourquoi-les-francais-ont-ils-si-mauvaise-reputation--vt537.html

Wir wissen schon: Inkonsistenzen gehören zum Stereo-talk. Und der Stereotypisierer meint: Ich hasse Rassismus und Zigeuner.
Das alles ist Stereo-talk in Perfektion. Die Strukturen kennen wir nun. Übertreiben, vergleichen, konterkarieren und ironisieren. Wieso geht es so oft über ganz bestimmte Themen?

7. Methode und Projekt

Wussten Sie, was ein Stereotyp ist? Und wissen Sie es jetzt? Sicherlich. Aber woher wissen Sie das? Wissenschaftler haben Stereotype ermittelt und erforscht und sie haben Definitionen gegeben, etwa die folgende:

> For the most part we do not first see and then define, we define first, and then see. In the great blooming, buzzing confusion of the outer world we pick out what our culture has already defined for us, and we tend to perceive that which we have picked out in the form stereotyped for us by our culture. (Lippmann 1922: 81)

Dieser Ansatz opponiert gegen die allgemein übliche Wertung, die Stereotype vorschnell als negativ sieht. Da es keinen universalen Standard für eine derartige Wertung gibt, bliebe sie immer ganz einseitig und würde für einen objektiven Ansatz nicht taugen. Lippmann hingegen macht uns darauf aufmerksam, dass wir alle stereotypisch organisiert sind und sein müssen, dass es Teil unserer mentalen Verfassung und kulturellen Teilhabe ist.

7.1 Definitionen

Die Definition einer Linguistin hebt ganz ab auf den verbalen Ausdruck und klärt nicht das dahinter liegende mentale Konzept:

> Ein Stereotyp ist der verbale Ausdruck einer auf soziale Gruppen oder einzelne Personen als deren Mitglieder gerichteten Überzeugung. Es hat die logische Form einer Aussage, die in ungerechtfertigt vereinfachender und generalisierender Weise, mit emotional-wertender Tendenz, einer Klasse von Personen bestimmte Eigenschaften oder Verhaltensweisen zu- oder abspricht. (Quasthoff 1973: 31)

Auch diese Definition baut eine Stellungnahme ein. Wer soll darüber befinden, ob die Aussage vereinfacht und ungerechtfertigt ist? Das ist – in vielfältigen

Formen – die verbreitete Ansicht über Stereotype. Wir haben dafür genügend Beispiele gesehen. Ob das allerdings für eine Definition taugt, ist fraglich. Wissenschaftler sollten nach verbreiteter Auffassung Distanz halten, objektiv und neutral sein. Diese Definition braucht aber einen Standpunkt. Kennt sie die Realität und die Folie nach der eine Vereinfachung festzustellen wäre?

Eine Definition, die den mentalen Charakter betont und die kommunikative Komponente des reziproken Wissens einbezieht, ist diese:

> Ein Stereotyp ist eine strukturierte Menge von generalisierenden Aussagen, die in einer Gruppe G von einer größeren Anzahl der Mitglieder von G im Wesentlichen nicht hinterfragt geglaubt werden und von denen sie annehmen, dass eine größere Zahl der Mitglieder sie glaubt. (Heringer 2010: 200)

Sie umfasst ziemlich alles. Ist sie aber nicht zu weit?

Nun aber: Wie kommen Wissenschaftler auf ihre Definitionen? Es sind Setzungen, Stipulationen, die sich auf dem Hintergrund anderer Forschungen und vor allem über ihre Fruchtbarkeit in Theorien rechtfertigen. Heringers Definition hätte den Vorteil, dass sie uns darauf hinweist, dass die Formulierung einen anderen Status hat als das Stereotyp selbst. Die Formulierung könnte zum Beispiel falsch sein, also das Stereotyp nicht korrekt wiedergeben. Das Stereotyp hingegen wirkt still im Handeln. Es muss dem Handelnden gar nicht bewusst sein, für ihn vielleicht gar nicht formulierbar.

7.2 Unser Projekt

Mit diesem Projekt verfolgten wir einen ganz anderen Ansatz. Wir als Beteiligte legen für uns und andere dar, was wir unter einem Stereotyp verstehen. Es geht um eine operationale Definition, in der man in einer Art algorithmischen Anleitung sein Verständnis offenlegt. Man wird sich selber klar und macht das eigene Verständnis transparent und überprüfbar.

Dies geschieht über Suchmasken und ihre Bewertung in Bezug darauf, als wie gut wir ihre Ausbeute bewerten. Die Suchmasken formulieren sozusagen Merkmale von Stereotypenformulierungen. Indikatoren sind etwa:

- Generalisierende Artikel: *der, die, alle, jeder*
- Partikeln (Abtönungspartikeln): *ja, doch, halt, eben*
- Generalisierendes Pronomen: *man*
- Verstärker wie *sehr, enorm, total, richtig*

In den stereotypen Äußerungen werden oft Absicherungsmaßnahmen getroffen. Der Sprecher signalisiert damit, dass er um die Einseitigkeit seiner Formulierung weiß. Absicherungsmaßnahmen sind etwa:

- hedges: *irgendwo, vielleicht, so'n bisschen*
- disclaimer: *ohne jetzt irgendwie wertend zu sein*
- Berufung auf eine Autorität: *hab ich gelesen*

Als gute deutsche Suchmasken haben sich die folgenden erwiesen. Die meisten zielen auf Generalisierung und Typisierung. Zusätzlich wird versucht, eine emotionale Komponente zu erfassen.

Xe machen	der X	diese Xe sind
Xe machen immer	der typische X	diese Xe sind doch
Xe sind	die Xe	ein typischer X
Xe sind doch	die Xe +dauernd	immer alle Xe
Xe sollen	die Xe +doch	immer die Xe
all diese Xe	die Xe +ständig	machen alle Xe
alle Xe	die Xe machen	machen die Xe
alle Xe +dauernd	die Xe machen doch	machen doch alle Xe
alle Xe +doch	die Xe machen immer	machen doch die Xe
alle Xe +immer	die Xe sind	man sagt +Xe
alle Xe +ständig	die Xe sind +vielleicht	man sagt +in Japan
alle Xe machen	die Xe sind bekannt	sind alle Xe
alle Xe machen doch	die Xe sind doch	sind die Xe
alle Xe machen immer	die Xe sind eben	ständig +alle Xe
alle Xe sind	die Xe sind ja	ständig +die Xe
alle Xe sind doch	diese Xe +dauernd	typisch Xisch
alle wissen +die Xe	diese Xe +doch	typisch X ODER Xe
auch alle Xe	diese Xe +ständig	und alle Xe
auch die Xe	diese Xe machen	und die Xe
dauernd alle Xe	diese Xe machen doch	
dauernd die Xe	diese Xe machen immer	

Die Suchmasken in der Kontrastsprache sollten dem Sinn nach äquivalent sein. Dies aber ist im Detail oft schwer zu realisieren, so dass auch sprachspezifische Masken zu entwickeln sind.

Bei der Suche haben wir nicht nur gegoogelt. Wir haben alle möglichen Volltextsuchmaschinen erprobt, vor allem auch länderspezifische: Google, AltaVista, Yahoo!, Fireball, Lycos, Live Search, Baidu (China), Ask.jp (Japan), Google Japan, Yahoo! Japan, Infoseek, Rambler, Yandex (beide Russland) und Web. de.

Als Ziel und Materiallieferanten waren Blogs ergiebig für unsere Zwecke. So wurde speziell gesucht auf Blog-Seiten, Google „Blog-Suche" und Live Search „Spaces".

Zuzüglich auch Kataloge: AOL NET FIND (Deutschland), SOHU (China), Metasuchmaschinen wie MetaGer (Deutschland), Youtube (Weltweit) und Spezialsuchmaschinen, z. B. Music Center (Deutschland), Wikipedia (Weltweit).

Wichtig sind uns die Einschränkungen der jeweiligen Suche und die Auswertung. Weniger interessant sind zum Beispiel eher offizielle Seiten. Da werden zwar auch Stereotype abgelassen, aber sie sind öfter so scheinobjektiviert, dass ihr stereotypischer Charakter für manch einen nicht zu erkennen ist.

Die Stereotypensätze in unserer Darstellung wurden von uns formuliert, destilliert aus hervorgehobenen Funden. Sie sind allerdings nicht nur begründet durch die Attraktivität der Funde. Vielmehr können Sie davon ausgehen, dass wir Ihnen nur eine Selektion präsentieren und dass die Stereotype durch die Frequenz entsprechender Funde abgesichert sind.

7.3 Ihr Projekt

Wir hoffen, dass wir Sie motivieren konnten mit unseren Funden, unseren Destillaten und Kommentaren. Wenn Sie Lust haben, selbst im Internet auf Stereotypenjagd zu gehen, bieten wir Ihnen hier als Anregung eine schrittweise Anleitung.

0. Wählen Sie sich selbst zwei Sprachen und damit zwei Kulturbereiche aus, in denen Sie recherchieren wollen. Es kann Deutsch plus ein anderer sein, Sie können aber auch ohne Deutsch vorgehen. Entscheiden Sie danach, wo Ihre Interessen liegen.

1. Machen Sie sich kundig, welche Suchmaschinen es für Ihre beiden Felder gibt. In Abschnitt 7.2 haben wir einige genannt, die wir verwendet haben. Denken Sie daran: Es muss nicht immer Google sein. Aber auch für Google können manchmal Länderversionen bessere Ergebnisse bringen.
Denken Sie daran:

- Sprache einstellen
- Erweiterte Suche bzw. Profisuche verwenden

Achten Sie darauf:

- Werden Sonderzeichen ä, ü, ö, ß verarbeitet?
- Wird zwischen Groß- und Kleinschreibung unterschieden?

Schränken Sie global ein. Offizielle Seiten sind oft uninteressant. Fruchtbar sind:

- Blogs
- Foren

Schränken Sie ein auf Seiten aus Ihren sprachlichen und kulturellen Suchbereichen.

Je nach dem, wie sophistiziert Sie Ihre Suche gestalten wollen, kann es wichtig werden, ob die Suchmaschine Trunkierung, Joker oder wildcards für die Suche zulässt (oder auch automatisch rechtstrunkiert). Dazu müssen Sie gewiss die erweiterten Suchanleitungen durchforsten. Für ambitionierte Experten mag sogar die Suche mit Regular Expressions in Frage kommen, die unseres Wissens bei den gängigen Suchmaschinen nicht implementiert ist. Einzig bei Exalead? Dabei gilt:

// Der reguläre Ausdruck wird mit zwei Schrägstrichen (slashes) umgeben: /suchbegriff/.

. Der Punkt steht für genau einen, jedoch beliebigen Buchstaben.

* Der Stern legt fest, dass der davor stehende Ausdruck, Buchstabe oder die Buchstabenfolge (in runden Klammern) null mal, einmal oder auch mehrmals vorkommen kann.

+ Das Pluszeichen legt fest, dass der davor stehende Ausdruck an dieser Stelle einmal oder mehrmals (jedoch nicht null mal) vorkommen darf. Der davor stehende Ausdruck kann sowohl ein einzelner Buchstabe als auch eine Buchstabenfolge (in runden Klammern) sein.

? Das Fragezeichen legt fest, dass der Ausdruck davor vorkommen kann, aber auch fehlen darf.

() Mit runden Klammern kann ein zusammengehörender Ausdruck definiert werden, der aus einer Buchstabenfolge oder mehreren Buchstabenfolgen (mit | als ODER- Verknüpfung) besteht.

| Innerhalb oder außerhalb der runden Klammern können mehrere Buchstabenfolgen mit ODER verknüpft werden.

Für detailliertere Regeln können Sie im Internet recherchieren (zum Beispiel http://rainerwerle.homepage.t-online.de/HIR6 2006.pdf).

2. Als Vorbereitung machen Sie sich vertraut mit den Möglichkeiten von Suchmaschinen oder zumindest denen der Maschinen, die Sie gewählt haben. Dabei suchen Sie mit Suchmasken, von denen Sie glauben, dass sie zu Stereotypen führen können. Auf diese Weise verbessern Sie schon Ihr Gefühl für die Erfolgsquote.

Wichtige Gesichtspunkte für die Auswahl von Suchmaschinen zusammengefasst:

- Ist Trunkierung mit * möglich?
- Wird automatisch rechts trunkiert?
- Ist exakte Suche möglich (mit Anführungszeichen)?
- Sind Operatoren wie „+" und „-" einsetzbar?
- Sind Booleschen Operatoren „and" und „not" einsetzbar?
- Ist der Boolesche Operator „Near" einsetzbar?

3. Formal sollten Sie beachten, zu welchen unterschiedlichen Funden Sie
kommen, wenn Sie exakt suchen (mit Anführungszeichen) oder mit
und-Suche auf Distanz. Mit dieser Suchweise entdecken Sie öfter Suchausdrü-
cke, die Sie auf produktive Thesen bringen und zu weiteren Suchausdrücken
und Kombinationen. Denken Sie immer daran: Sie wollen Neues entdecken,
Sie suchen nicht, was Sie schon wissen oder vermuten. Sie suchen also nicht
inhaltlich nach einem spezifischen Stereotyp.

4. Für jeden Suchschritt und für jede Suchmaske legen Sie sich eine Doku-
mentation an. Am besten Sie verwenden eine Tabelle dieser Art.

Suchmaschine	Suchmaske	Trefferzahl	Relevante Treffer %	Datum
Google	„Xe sind"	…	…	tt. mm. jjjj
Stichwörter für Stereotype: x, y, z				

Ihre Erfolgsquote können Sie nach und nach verbessern. Die Suchmaske ist
anzupassen, indem Sie mehr Wörter aufnehmen, vor allem aber, indem Sie mit
Minus störende Wörter ausschließen. Denken Sie daran, dass Sie zu Stereotypen kommen wollen. Wichtig ist dabei, schon eine Art Stereotyp für die Funde

zu formulieren, und am allerwichtigsten, dass der Fund auch wirklich das Stereotyp rechtfertigt.

5. In einer ersten Phase können Sie alternativ suchen mit Bezeichnungen der Bewohner und Bewohnerinnen, mit den Ländernamen oder mit hiervon abgeleiteten Adjektiven. Bei jedem Suchvorgang:

- Bedenken Sie, mit wie viel Funden Sie überhaupt umgehen können. Müssen Sie gleich weiter einschränken?
- Wie viel Funde müssen Sie ansehen (wie viel Prozent), um zu Thesen zu kommen?
- Unterscheiden Sie immer: Thesen für eine effektivere Suche von Thesen für die Formulierung eines Stereotyps.
- Dokumentieren Sie die Suchmaske, die Anzahl der Funde, wie viele Sie angesehen haben, wie hoch die Erfolgsquote in Ihren Augen war.
- Notieren Sie auch Ihre Ideen für die Anpassung der Suchmaske und für eine mögliche Stereotypenformulierung.

altavista·

„Xe sind"

exolead

„die Xinnen sind"

altavista·

„der X glaubt"

> „Xe können"

> „Xe sind" OR „Xe machen"

6. Übersetzen Sie gute Funde sofort. Dokumentieren Sie die Probleme, die dabei entstehen. Bei allen Schritten erproben Sie kontrastive Paare von Ausdrücken. Denken Sie daran, dass es in Sprachen keine simplen Übersetzungsäquivalente gibt. Die Wörter selbst können schon stereotypengeladen sein. Das ist zum Beispiel ein Grundansatz in der sog. Prototypensemantik.

7. Experimentieren Sie damit, ob es Ihnen gelingt, Ausdrücke zu finden, die gerade auf das Stereotypenhafte zielen: *typisch X, immer, immer wieder, ständig, all-, jed-, kein-.*

> „Xe" immer gewöhnlich typisch

Google

> meistens +„Xe"

exolead

> „alle wissen" +„Xe"

„Xe" +normalerweise

„typisch Xisch"

LYCOS

„Xe sind bekanntlich"

altavista

„Xe gelten" +allgemein

Google

„Xe machen" +normalerweise

altavista

„Xe" +unerwartet ungewöhnlich ungewöhnlicherweise

Google

ungewöhnlich +„Xe sind"

Google

natürlich ist +„Xe"

> „Xe" NEAR leben OR ist OR sind OR typisch OR eigenschaften OR glauben

8. Implizite Stereotypen sind mit Konnektoren zu finden wie *sogar, trotzdem, obwohl, dennoch.*

9. Erproben Sie nun Wörter oder Ausdrücke, die emotional stilisierte Passagen herauspicken könnten. Dabei muss es nicht nur um Partikeln gehen. Auch *wirklich, natürlich, tatsächlich, sowieso* können Überraschung anzeigen und implizit auf einem Stereotyp ruhen.

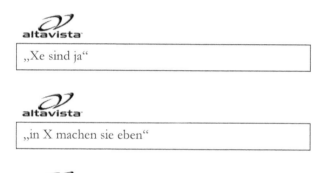

altavista

> „Xe sind ja"

altavista

> „in X machen sie eben"

altavista

> „ein X ist doch"

Google

> „diese Xe sind halt"

10. Über das gesamte Projekt: Nie nach spezifischen Inhalten suchen. Sie suchen nach stereotypischen Strukturen, um Stereotypen zu entdecken, zu destillieren, die Sie noch gar nicht kennen. Wir nennen das eine formale Suche.

11. Sie haben nun zwei Korpora von Stereotypen. Beginnen Sie die Auswertung und Analyse mit einer ersten Durchsicht. Formulieren Sie die Stereotypen exakt so, wie der Fund es logisch hergibt. Schauen Sie auch auf implizite Stereotypen, auf Anspielungen und Nebenbei-Erwähnungen. Anschließend suchen Sie mögliche Zusammenfassungen. Ähnliche können Sie vielleicht unter einem allgemeineren Stereotyp subsumieren.

12. Ordnen Sie die Stereotypen unter theoretischen Gesichtspunkten:

- Positive und negative
- Eigenstereotype und Fremdstereotype
- Kontrastierende, auf einander bezogene
- Spiegelstereotype

13. Analysieren Sie die Stereotypen unter kommunikativen Gesichtspunkten:

- Wie sind sie rhetorisch gebaut: Klimax, Dreischritt usw.
- Wird übertrieben? Bewusst oder unbewusst?
- Wird das Stereotyp begründet? Wie?
- Nimmt der Träger Bezug auf ein anderes Stereotyp?
- Im Dialog: Sind beide Partner sich einig oder nicht?
- Was zeigt das Stereotyp über den Träger?

8. Methodische Alternativen

Stereotypen sind längst ein Thema in Forschung und Trainings zur interkulturellen Kommunikation. Sie werden mit verschiedenen Methoden erhoben und unterschiedlich dargestellt. Vier Alternativen zu unserer Methode stellen wir Ihnen skizzenhaft vor.

8.1 Befragung

Gängige alternative Methode der Stereotypenerhebung sind groß angelegte Befragungen. Sie kommen zwar objektivistisch daher und sagen uns, wie es – vermeintlich – ist. Sie haben aber ihre Stärke darin, dass größere Probandengruppen befragt werden. Hier als Beispiel kurze Ausschnitte aus einer Befragung des Readers Digest (Juli 2004, 37) .

Welche Europäer sind am unfreundlichsten?

DEN SCHLECHTESTEN Ruf genießt Deutschland, es erhält 27 Prozent. Eine junge Tschechin in Prag: „Sie sind zu laut, rücksichtslos und schreien die ganze Zeit herum. " 14 Prozent der Befragten halten die Franzosen für unfreundlich. „Ihr Verhalten im Verkehr ist äußerst aggressiv und rücksichtslos", lautet das Urteil eines 40-jährigen Belgiers.
Großbritannien folgt auf Platz drei mit 12 Prozent. Kommentar einer jungen Niederländerin: „Im Urlaub haben die Briten einfach keine Manieren, nichts als saufen und krakeelen. " Am freundlichsten sind im Umkehrschluss die Norweger und die Schweizer, sie erhalten je 1 Prozent.

Und zum Trost:

Welche Europäer sind am tüchtigsten?

TROTZ IHRER momentanen wirtschaftlichen Schwierigkeiten hält man die Deutschen noch immer für die tüchtigsten Europäer, das beweisen stolze 45 Prozent in der Gesamtwertung (Männer aller Altersstufen votieren sogar mit 50 Prozent).

Das Lob kommt aus allen Ecken Europas. In Belgien versichert eine Frau: „Deutsche halten sich immer an Vereinbarungen. " Eine Tschechin kommentiert: „Sie sind so sorgfältig und genau. " In Großbritannien hebt ein Mann hervor, dass „die Deutschen für Industrie und Technik unschätzbare Beiträge geleistet" hätten.

An zweiter Stelle, aber mit großem Abstand, kommen die Schweizer mit 11 Prozent.

8.2 Strukturierte Interviews

Eine andere Möglichkeit der Stereotypenerhebung bilden Tiefeninterviews mit einzelnen Personen.

In einem Projekt wurden in strukturierten Interviews chinesische Probanden zu ihren Erfahrungen befragt. Es ging um ihrer kontrastiven Erfahrungen mit der deutschen und chinesischen Höflichkeit, insbesondere um damit verbundene critical incidents: Vorkommnisse, die als problematisch erlebt und empfunden wurden, die aber als typische Fälle didaktisch zu nutzen sind (Deng 2009).

Wie war es mit der deutschen Höflichkeit?
Die Deutschen sind sehr höflich, freundlich, aber eine Art von distanzierter Höflichkeit. Sie sind sehr höflich, aber nicht warm.

Welche negativen Erfahrungen hast du gemacht?

Wie gesagt, so viele Deutsche kenne ich nicht, deswegen konnte ich auch nicht viele Erfahrungen sammeln. Konkrete Erlebnisse…. Einmal in der Straßenbahn habe ich eine alte Frau mit einem Hund gesehen. Der Hund war sehr süß und ich hab dann mit dem Hund gespielt. Dann hat die alte Frau mir ernsthaft gesagt: „Ich habe gehört, dass die Chinesen Hunde essen." Ich fand das sehr unhöflich.

Denkst du, dass sie zu direkt war?

Mein damaliges Gefühl war, dass sie nicht besonders freundlich zu Chinesen ist, oder dass sie einen schlechte Meinung von Chinesen hatte. Eigentlich habe ich damals keine böse Absicht gegen ihren Hund gehegt. Deswegen denke ich, dass sie so was geäußert hat, kommt eigentlich von ihr selber. Sie war schon sehr direkt. Aber das hat eigentlich nicht mit Direktheit zu tun, weil in der damaligen Situation sie keinen Grund hatte, darüber zu sprechen. Wenn ich sie persönlich kennen würde oder wir mitten im Gespräch wären und wir kämen im Gespräch auf die Hunde-Frage, sie mich dann fragte: Ich habe gehört, dass die Chinesen Hunde essen, stimmt es? dann wäre es mir kein Problem. Aber tatsächlich kenne ich sie nicht, ich begegnete ihr erst einige Sekunden zuvor, sie hat nicht mal gefragt, ob ich Chinesin bin, dann kommt so ein Satz raus, mit ernsthaftem Gesicht, also nicht im Scherz gemeint.

Was war deine Reaktion?

Ich war erregt. Ich hab nicht weiter reagiert, hab dann zu ihr höflich gelächelt und bin weggegangen. Die Situation war ziemlich verlegen. Ich habe sowas nicht erwartet, ohne Vorwarnung kommt der Satz raus. Wenn man nicht tolerant genug ist, kann man das als Feindseligkeit gegen Ausländer oder Chinesen einstufen. Oder hat sie einfach Vorurteile gegenüber Chinesen. Diese Feindseligkeit oder Vorurteile haben ihre Unfreundlichkeit verursacht.

Fällt dir weiteres unhöfliches Verhalten der Deutschen ein?

Ja, z. B. am Esstisch schnäuzen. Ich finde es nicht akzeptabel. In anderen Situationen ist Schnäuzen schon ok, aber am Esstisch oder in einem ruhigen Raum, ist es ein bisschen störend. Kann sein, dass die Deutschen sich nicht daran stören.

Andere Beispiele… Ich habe sie persönlich nicht erlebt, aber eine Freundin hat das erlebt, dass ein Kind ihr den Stinkefinger gezeigt hat. Ich schätze, es gehört auch zu der Feindseligkeit gegen Ausländer. Sie war neben dem Fenster gesessen, dann hat ein 13- oder 14-jähriger Junge nach dem Aussteigen ans Fenster geklopft und meiner Freundin den Mittelfinger gezeigt. Das war in Erfurt, in Ostdeutschland.

Kannst du die deutsche Art und Weise der Höflichkeit akzeptieren, z. B. laut zu schnäuzen ist ok, aber beim Essen zu schlürfen ist nicht gut?

Ich habe einmal in der Gastfamilie ein sehr lautes Geräusch vom Schnäuzen gehört, ich war erschreckt. Aber danach wusste ich langsam, dass die Deutschen häufig so laut schnäuzen. Ich habe mich bei der Freundin aus Bremen darüber beschwert, aber sie sagte mir, dass sie das Spucken von Chinesen nicht möge. Die Chinesen spucken laut, aber schnäuzen leise.

Du empfindest die deutsche Höflichkeit im Großen und Ganzen als gut, gibt es jedoch irgendwelche negativen Erfahrungen, die du gemacht hast?

Es schnäuzen die Deutschen sehr laut, auch beim Essen, das ist für die Chinesen unakzeptabel, aber ich habe schon lange hier gelebt, deswegen kann ich es völlig akzeptieren, ich mache das sogar selber auch so, es ist kein Barriere für mich, aber doch für die normalen Chinesen. Der Grund für gut oder nicht gut, positiv oder negativ liegt nicht in der Person, sondern in den kulturellen Unterschieden.

Welche anderen negativen Erfahrungen hast du gemacht? Welche deutschen Verhaltensweisen empfindest du als unhöflich?

Ich denke, sie sind manchmal zu direkt. Und sie sind manchmal zu selbstbewusst, können ihre Perspektive oder Meinung nicht leicht ändern. Sie sagen häufig, sie hätten recht. Manchmal, wenn sie Probleme mit dir haben, dann äußern sie das ganz direkt.

Ich war mal auf einer Party, einige waren sehr sympathisch, haben auch viel mit mir gesprochen. Am nächsten Tag, als ich die wieder traf, waren sie plötzlich kalt. Ich finde das nicht so angenehm. Vielleicht haben sie mich nicht erkannt. Ich habe sie herzlich gegrüßt, aber sie haben mir nicht viel erwidert. Dann habe ich gefragt, wohin gehen sie. Sie haben nur ganz kurz geantwortet und sind anschließend weggegangen.

8.3 Tiefeninterviews

In der Studie von Frenzel/Heringer (2007) wurden interkulturell basierte Schwierigkeiten russischer Aussiedler in Deutschland per Tiefeninterview erhoben. Es ergaben sich einige thematische Hotspots, von denen wir nach der Übersicht zwei in Ausschnitten vorführen.

Hotspots: Russische Immigranten in Deutschland

◇Altersheim   ◇Anonymität, Offenheit   ◇Assimilation

◇Ausbildungsinstitutionen   ◇Ausländerfeindlichkeit   ◇Ausreisemotiv

◇Begrüßung   ◇Beziehungen zwischen Frau und Mann, Familiengründung

◇Bürokratie   ◇Denunzieren   ◇Disziplin und Gehorsam

◇Einstellung zu Karriere und Arbeit   ◇Emotionalität   ◇Ethnische Identität

◇Familiäre Beziehungen   ◇Freizeitgestaltun   ◇Frauenemanzipation

◇Gefühle bei der Einreise, erste Eindrücke von Deutschland

◇Hilfsbereitschaft   ◇Jugendkultur   ◇Kindererziehung   ◇Kleidung

◇Komplimente   ◇Kontaktfreudigkeit   ◇Lächeln

◇Moralwandel in Russland   ◇Öffentliche Sicherheit   ◇Pünktlichkeit

◇Regelorientiertheit   ◇Religion   ◇Respekt vor Älteren

◇Russische Gastfreundschaft, Spontaneität   ◇Russische Kultur im Ausland

◇Schwierigkeiten am Arbeitsplatz   ◇Servicekultur

◇Soziale Kontakte, Freundschaften   ◇Sprach- und Kommunikationsprobleme

◇Toleranz   ◇Studium, Verhalten in Seminaren

◇Verantwortungsbewusstsein und Selbständigkeit

Lächeln

Olga (48)
Es hat mich überrascht, dass alle Menschen lächeln und sich grüßen.

Olga (48)
Als ich zu Hause zu Besuch war (in Weißrussland), wurde ich gefragt, wie hier alles so ist. Und ich habe damals gesagt, dass ich das deutsche Serviceniveau bewundere. Das ist ein auffallender Unterschied! Nicht die vollen Regale im Handel, sondern der Service! Es ist sehr angenehm, wenn die Verkäuferinnen ständig freundlich sind, Kunden anlächeln.

Sascha (40)
Man steht morgens auf, geht in die Bäckerei. Die Verkäuferin lächelt dich an. Ob sie das will oder nicht, das ist ihre Arbeit, sie muss das tun. In jedem Fall ist es egal, ob das Lächeln künstlich oder aufrichtig ist, Lächeln bleibt Lächeln. Und es weckt positive Gefühle. Im Vergleich… Ich war jetzt in der Ukraine… Du kriegst etwas hingeschmissen, kein „Guten Tag" oder „Auf Wiedersehen", ausfällig noch dazu.

Aleksej (28)
Öfters ist das nur ein gekünsteltes Lächeln, das man gar nicht sehen will. Das ist unangenehm. Doch, ich lächle zurück.

In Russland wird das Anlächeln unbekannter Personen nicht unbedingt als Ausdruck von Höflichkeit verstanden, sondern eher mit Verblüffung wahrgenommen oder, wenn eine Frau einen Mann oder umgekehrt anlächelt, als Flirtverhalten oder Ausdruck eines persönlichen Interesses verstanden.

Regelorientiertheit

Olga (48)
Gewissenhaftigkeit. Genauigkeit, Pünktlichkeit. Das haben sie. Und das gefällt mir, weil es Zeit spart. Die Zeiteinteilung. Wir haben mehr Chaos.

Nina (47)
Hier gibt es endlos viele Grenzen, sowohl in Beziehungen, als auch überall. Ständige Rahmen, Grenzen und Einschränkungen.

Aleksej (28)
Bei uns ist das Verhalten, sich immer Gesetzen unterzuordnen, nicht ausgebildet. Hier herrscht Ordnung.

8. 4 Assoziationstests

Eine weitere Möglichkeit bieten Assoziationstests, in denen mehrere Probanden ihre Assoziationen zu Stimuli geben, die anschließend nach Häufigkeit und Reihenfolge ausgewertet werden. In einer anschaulichen Sterndarstellung werden die Reaktionen dokumentiert. Je öfter ein Respons kam, umso näher steht er hier beim Stimulus.

Was fällt Ihnen ein zum Stichwort „Polen"?

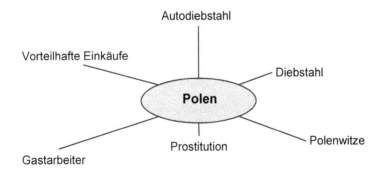

Was fällt Ihnen ein zur polnischen Wirtschaft?

Was fällt Ihnen ein zur polnischen Politik?

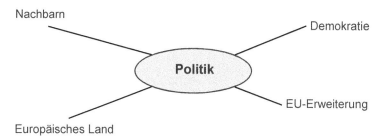

Was fällt Ihnen ein zur polnischen Geschichte?

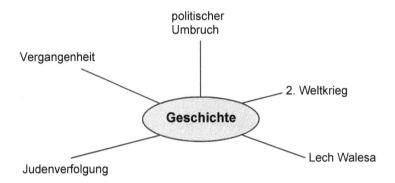

Was fällt Ihnen ein zum Charakter der Polen?

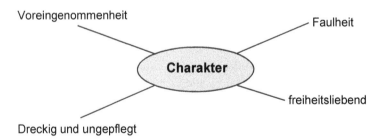

9. Ein Fazit?

Stereotype gewähren uns einen Blick von außen auf uns. Wir können sie letztlich doch ein bisschen auf uns selbst beziehen, zumindest so, dass, wer sie kennt, darauf gefasst sein kann, dass er so gesehen wird.

Wenn wir Deutsche in der Welt überwiegend als zuverlässig gesehen werden, so kann es uns egal sein, ob wir auch selbst der Meinung sind. Es ist eine gute Basis für soziale Beziehungen. Und wir könnten vielleicht sagen, dass wir daraus eine soziale Verpflichtung ziehen könnten, dieses Image nicht zu beschädigen.

Wenn wir weltweit als ordnungslieb gesehen werden, können wir uns aber fragen, ob das so positiv für uns selbst ist. Ordnung und Regeln sind besonders für die anderen. Uns selbst engen sie auch ein.

Wenn wir Deutsche andere Völker oder Nationen überwiegend kritisch oder negativ sehen, so sollten wir uns fragen: Wie kommen wir dazu? Sind wir wirklich besser? Das scheint eher unwahrscheinlich. Alle Kulturen funktionieren unter den gegebenen Bedingungen, in ihrer gewordenen Tradition. Schlecht könnten sie eher in unseren Augen sein, vielleicht weil wir nicht von unserem Standpunkt runterkommen. Sind wir vielleicht zu zu? Nicht lernfähig?

Wenn Sie in ein andres Land gehen, kann es nützlich sein zu wissen, was die Menschen über Sie als Deutsche denken könnten. Dazu müssen Sie zuerst einmal den Realitätsgehalt der Stereotype einschätzen können. Das heißt: Wird das Stereotyp allgemein geglaubt? Und im Ernstfall, das heißt wenn Sie dort sind und in Interaktion, dann müssen Sie immer davon, ausgehen, dass Ihr Partner solche Stereotype gar nicht kennt oder sie kennt und Distanz zu ihnen hält. Sie müssen sozusagen so tun, als gäbe es die Stereotype nicht (bis zum Beweis des Gegenteils).

Ein wichtigerer Punkt ist vielleicht, dass Sie bei der Lektüre mit sich zu Rate gehen und sich fragen: Wie weit teile ich die Stereotype, die Deutsche so über die Xe formulieren oder denen sie auch anhängen? Sie können dann vielleicht Ihr Augenmerk gerade auf solche Situationen, auf solche Interaktionen legen, in denen sie eine Rolle spielen könnten. Vielleicht könnten Sie sich so korrigieren und eine realistischere Einschätzung bekommen.

Ja, Sie könnten vielleicht Ihre Stereotype imaginieren und antizipativ sich einleben. Stellen Sie sich vor, Sie kommen in eine Situation, in der ein bestimmtes Stereotyp eine Rolle spielt, in der es etwa mit Leben gefüllt würde. Wie würden Sie da reagieren? Nehmen Sie das vorweg, malen Sie es in der Vorstellung aus, leben Sie es aus.

Stereotypen gelten vielen als das Grundübel in den Beziehungen der Völker und Kulturen. Aber am Ende stellt sich für uns alle die Frage: Wie weit, in welchem Umfang ist unser aller Weltbild durch Stereotypen geprägt?

10. Literatur

Dąbrowska, Jarochna (1996): Stereotype und ihr sprachlicher Ausdruck im Polenbild der deutschen Presse. Tübingen

Dajnowicz, Alina (2007): Nationalstereotype im Internet: Deutsch-polnisch, polnisch-deutsch. Magisterarbeit Augsburg

Deng, Jing (2009): Höflichkeit im interkulturellen Vergleich. Eine theoretische und empirische Auseinandersetzung mit der Höflichkeit im deutsch-chinesischen Kontext. Magisterarbeit Augsburg

Frenzel, Nataliya /Heringer, Hans Jürgen (2007): „Ich lächle zurück. " Interkulturell basierte Schwierigkeiten russischer Aussiedler in Deutschland. In: Deutsch als Zweitsprache 1, 23-32

Günthner, Susanne (1993): Diskursstrategien in der interkulturellen Kommunikation: Analyse deutsch-chinesischer Gespräche. Tübingen

Hahn, Hans Henning /Hahn, Eva (2002): Nationale Stereotypen. Plädoyer für eine historische Stereotypenforschung. In: Hahn, Hans Henning (Hg.): Stereotyp, Identität und Geschichte: die Funktion von Stereotypen in gesellschaftlichen Diskursen. Frankfurt am Main

Hall, Edward Twitchell (1977): Beyond Culture. New York

Heringer, Hans Jürgen (³2010): Interkulturelle Kommunikation. Tübingen

Hu, Hsien Chin (1944): The chinese concept of „face". In: American Anthropologist 46, 45-64

Khubuluri, Giorgi (2008): Nationalstereotype im Internet: Deutsch-russisch, russisch-deutsch. Magisterarbeit Augsburg

Klema, Barbara /Hashimoto, Satoshi (2007): „Englisch ist wichtig, Chinesisch ist nützlich in Zukunft, Deutsch ist schwierig." Argumente für den L3-Unterricht an japanischen Hochschulen. (http://zif.spz.tu-darmstadt.de /jg-12-1/beitrag/Klema1.htm)

Lippmann, Walter (1922): Public Opinion. New York

Löschmann, Martin (1998): Stereotype, Stereotype und kein Ende. In: Löschmann, Martin /Stroinska, Magda (Hgg.): Stereotype im Fremdsprachenunterricht. Frankfurt am Main

Löschmann, Martin (2001): „Was tun gegen Stereotype?" In: Wazel, Gerhard (Hg.): Deutsch als Fremdsprache in der Diskussion, Bd 5. Frankfurt am Main, 147-202

Mao, Lu Ming Robert (1994): Beyond politeness theory: 'Face' revisited and renewed. In: Journal of Pragmatics 21, 451-486

Matsumoto, Yoshiko (1988): Reexamination of the universality of face: politeness phenomena in Japanese. In: Journal of Pragmatics 12, 403-426

Metzler, Manuel (2003): Partnerschaft mit Potenzial. Die deutsch-japanischen Kulturbeziehungen. Bestandsaufnahmen und Empfehlungen. Stuttgart

Quasthoff, Uta (1973): Soziales Vorurteil und Kommunikation. Frankfurt am Main

Reader's Digest (2004). Die beliebtesten Europäer. 7/2004, 32-39

Schoderer, Hatsune (2008): Nationalstereotype im Internet. Deutsch vs. Japanisch. Magisterarbeit Augsburg

Shevchuk, Victoria (2009): Nationalstereotypen im Internet: Selbst- und Fremdbilder russisch-deutsch im Vergleich. Magisterarbeit Augsburg

Wang, Lei (2008): Nationalstereotypen im Internet. Deutsch vs. Chinesisch. Magisterarbeit Augsburg

Wenzel, Angelika (1978): Stereotype in gesprochener Sprache. Form, Vorkommen und Funktion in Dialogen. München

Zheng, Jing (2008): Nationalstereotypen im Internet. Deutsch-chinesisch, chinesisch-deutsch. Magisterarbeit Augsburg

Zymierczykiewicz, Joanna (2007): Nationalstereotypen übers Internet erhoben: polnisch-deutsch. Magisterarbeit Augsburg

http://zif.spz.tu-darmstadt.de/jg-12-1/beitrag/Klema1.htm. 16. 3. 2008

http://www.iik.de/publikationen/Was%20tun%20gegen%20Stereotype.pdf. 14. 4. 2008

Nachwort

Die Daten für dieses Projekt sind im Wesentlichen in Magisterarbeiten des Lehrstuhls für Deutsch als Fremdsprache an der Universität Augsburg erarbeitet worden.

Dafür sind wir zu besonderem Dank verpflichtet:

Alina Dajnowicz, Giorgi Khubuluri, Hatsune Schoderer, Victoria Shevchuk, Lei Wang, Jing Zheng, Jing Zulehner, Joanna Zymierczykiewicz

Augsburg, im Dezember 2010

Doris Fetscher
Hans Jürgen Heringer

ibidem-Verlag

Melchiorstr. 15

D-70439 Stuttgart

info@ibidem-verlag.de

www.ibidem-verlag.de
www.ibidem.eu
www.edition-noema.de
www.autorenbetreuung.de